ディープフェイクの衝撃

AI技術がもたらす破壊と創造

笹原和俊
Sasahara Kazutoshi

PHP新書

はじめに

想像してみてほしい。自分が出演しているとしか思えないリアルなポルノ動画がインターネット上に拡散し、二度と消せない世界を。スマートフォンのアプリで、彼の国の大統領の発言を自在に捏造することができ、誤認から核のボタンが押されかねない世界を。これらの事態が起こる確率はゼロではない。そこに深く関わる技術が、本書のテーマである「ディープフェイク（Deepfake）」だ。

ディープフェイクとは、人工知能（ＡＩ）の技術を用いて合成された、本物と見分けがつかないほどリアルな人物などの画像、音声、映像やそれらを作る技術のことである。この技術を用いると、どんな人物に対しても、実際には言っていないことを言ったように加工したり、やっていないことをやったかのように捏造したりすることができる。ディープラーニング（深層学習）という機械学習の手法の発展と、利用できるデータが爆発的に増大したことによって、本物か偽物かの見分けがつかないメディアを合成することが可能になった。「合成」というと中立的な響きだが、その行為の背後に悪意があれば「捏造」だし、アートやものづくりの新しい表現方法として使えば「創造」ということになる。

数年前まで、ディープフェイクは専門的な知識と技術、大量のデータと高性能なコンピュータがなければ作ることは困難だった。しかし、簡便なツールやサービスが誕生し、誰もがたやすく安価に作成できるような時代に突入した。

ディープフェイクは何を可能にし、それが普及した社会では何が起こるのだろうか。私たちはそのことを真剣に考える時期に来ている。２０１７年に登場したディープフェイクの技術は、その後の数年で飛躍的な発展を遂げ、想像もしなかったような使用例が次々と登場している。それによって新たな社会問題も起きている。

ディープフェイクを扱ったこれまでの書籍では、この技術は「ポルノビデオを作るツール」あるいは「政治的プロパガンダの道具」という文脈でもっぱら紹介されてきた。しかし、ＡＩ技術の民主化が進行している現在、人間とＡＩがコンテンツを共創する流れも広がっている。私たちは、ディープフェイクの危険性と可能性を、もっと広い社会的文脈で捉える必要がある。

そのことを理解するために、ディープフェイクの歴史や仕組みだけでなく、これに関わるＡＩ技術とそれを受容する社会についても、学術論文や公開されている記事を計算社会科学者の立場で読み解き、一般読者向けに平易な言葉で解説することを試みた。

まず序章では、ディープフェイクが引き起こした様々な事件について紹介する。第1章では、ディープフェイクの定義や歴史、方法や問題などについて全体像を概観する。第2章では、ディープフェイクを作るための重要なAI技術とその仕組みについて説明する。第3章は、ディープフェイクを見抜いたり、防いだりするための予備知識と技術的試みを紹介する。著者が関わっている研究プロジェクトについても紹介する。そして第4章では、ディープフェイクを受容する社会に焦点を当て、人とAIが共存・共創する社会の可能性について論じる。

本書が、進化の途上にあるディープフェイクの光と影の両面を理解し、総表現社会を次のステージに進めるためのヒントとなれば幸いである。

ディープフェイクの衝撃：ＡＩ技術がもたらす破壊と創造――目次

序章 ディープフェイクの象徴的事件

第1章 ディープフェイクとは何か

第2章　ディープフェイクを作る

第3章 ディープフェイクに備える

第4章 ディープフェイクと共存する

序章

ディープフェイクの象徴的事件

見ることは信じること

「Seeing is believing（見ることは信じること）」という英語のことわざがある。日本語だと「百聞は一見にしかず」がそれに当たる。これらのことわざは、「視覚と信頼」の揺るぎない関係性を表現している。しかし、それはこれまでのこと、ということになるかもしれない。

２０１７年にディープフェイクというパンドラの箱が開いた。それ以降、本物と見分けがつかないような偽の画像や動画がインターネット上を駆け巡り、ポルノ、ユーモア、アート、いじめ、詐欺、政治、戦争など、様々な用途で利用されている。このことわざが死語になり、自分が見ているものが信じられない世界が訪れつつある。

まず、ディープフェイクがこれまでに引き起こした象徴的事件を概観し、イメージを掴むところから始めよう。次章で定義するので、この章ではさしあたり、「ディープフェイク＝高度な人工知能（ＡＩ）技術によって作られたリアルな画像・音声・映像」だと思って読み進めてほしい。

ディープフェイクス現わる

「どんなものにでも、それのポルノがある。例外はない。（There is porn of it. No Exceptions.）」

これはルール34と呼ばれるインターネットの経験則で、どんな人物やキャラクターも、インターネット上ではポルノの二次創作が簡単に作られてしまう、という一種のジョークである。新しい技術が登場すると、必ずと言っていいほど、それはポルノを作るために使われる。ディープフェイクもその例に漏れず、ポルノ制作の道具として使われ、普及した経緯がある。

ＡＩ技術で合成されたポルノビデオが、最初にインターネットに登場したのは２０１７年11月である。海外テック系メディア「マザーボード」の記者サマンサ・コールが、米国を中心に人気の掲示板サイトのレディット（Reddit）に、「ディープフェイクス（deepfakes）」を名乗るユーザが同名の掲示板（サブレディット）を作り、新種のポルノビデオを投稿していることに気づき、それを記事にしたことで、一気に注目されるようになった。

これらのポルノビデオは、グーグル（Google）が開発したテンソルフロー（TensorFlow）

というオープンソースのディープラーニング用ソフトウェアライブラリを使い、ポルノ女優の顔を有名人の顔にすり替えて作られた合成ビデオだった。それらは有名女優のエマ・ワトソンやスカーレット・ヨハンソン、人気歌手のケイティ・ペリーやテイラー・スウィフトなどが、実際にポルノビデオに出演しているかのような、悪ふざけを超えるクオリティの動画だった。ディープラーニングがポルノ作成に使えることに気づいた一般人が、実際に作ってみせたのだ。

さらにこのユーザは、偽ポルノビデオをディープラーニングで作成する方法をレディットで公開した。すると、それを真似して偽ポルノビデオを作成し、投稿するユーザが続々と現れた。

ディープフェイクはポルノから始まった。

顔交換をするソフトウェア

２０１８年１月には、フェイク・アップ（FakeApp）という顔交換をするソフトをレディット上で公開するユーザが現れた。するとすぐに、このソフトを使って、知人の顔をポルノビデオに貼り付ける方法などに関する質問が投稿され、有名人や無名の個人の顔をすげ替えた偽ポルノビデオが投稿されるようになった。

ただし、フェイク・アップは、誰でも簡単に使えるという代物ではなく、ある程度の知識を持った人が、高性能なGPU（画像処理装置）を搭載したコンピュータを使用しないと利用できなかった。しかも、顔交換動画を1つ作成するのに何時間も必要だった（現在、このソフトの開発は止まっているが、ミラーサイトから依然としてダウンロードは可能である）。

2018年2月、この事態を重く見たレディットは、フェイク・アップのサブレディットを閉鎖し、「偽造された描写を含む、明らかに許可なしに作成・掲載されたヌードの人物、または性的行為を行う人物を描写した画像や動画の配布を禁じる」と規則を変更した。

偽ポルノをアップロードするためのプラットフォームとして使われてきたウェブサイトも、不正に合成されたポルノビデオを削除すると発表した（アクセスが増えることを防ぐために、サイト名は伏せる）。ツイッター（Twitter）、フェイスブック（Facebook）、インスタグラム（Instagram）などの主要なソーシャルメディアも、ディープフェイクによって同意なく不正に合成された動画の投稿を禁止し、見つけた場合は削除する措置をとっている。

この頃からディープフェイクは、AIを使った偽ポルノの代名詞になった。ディープフェイクが悪用され、有名人だけでなく、一般人をターゲットにしたポルノがインターネット上で公開され、新たな社会問題となっている。

顔を合成するソフトが悪いというわけではなく、それを使用する用途が問題なのだ。その後も、ディープ・フェイス・ラボ（DeepFaceLab）などの類似ソフトやディープフェイク・ウェブ（Deepfake Web）などのウェブサービスが登場し、一般ユーザがディープフェイクを生成するハードルは確実に下がっている。

暴言を吐くオバマ大統領

第44代米国大統領バラク・オバマといえば、国際外交と諸国民の協力強化への尽力が評価されてノーベル平和賞を受賞した人物であり、退任後も米国民の間では人気が高い。

そんなオバマが、「トランプ大統領は完全なバカ野郎だ」と耳を疑うような発言をしている動画がある。[1]この動画は２０１８年4月に、動画共有サイトのユーチューブ（YouTube）にアップされた。これまでに９００万回以上視聴され、10万件以上の「いいね！」がついている。およそオバマらしくない発言なのだが、顔の表情やしぐさはオバマそのものである。しかし、この動画の35秒あたりから種明かしが始まり、この人物がオバマ本人ではないことがわかる（図1）。

図1　オバマ元大統領のディープフェイク動画

It's a time when we need to
rely on trusted news sources.

出典：https://www.youtube.com/watch?v=cQ54GDm1eL0

実はこの動画は、映画監督で俳優のジョーダン・ピールの口の動きに合わせて、あたかもオバマが話しているかのように映像と音声が合成されている。これはオンラインメディアの「バズフィード（BuzzFeed）」とピールが組んで、ディープフェイクが悪用される危険性を一般の人々に警告する目的で制作した啓蒙動画だ。この動画が公開されているページの概要欄には、「我々の敵はいつでも、誰にでも、何でも言わせることができる時代に突入しているのです」と記載されている。

この動画は、アドビ社のアフターエフェクツ（Adobe After Effects）という動画編集ソフトと前節で紹介したフェイク・アップを組み合わせて作成された。オバマの上にピールの口を貼り付け、オバマのあごのラインを、ピールの口の動きに合わせて動くものに置き換え、その後、フェイク・アップを使って映像が滑らかにされた。その作業には何十時間もかかったという。

この動画の偽オバマの音声は、ピールがものまねをして発声した録音で、オバマの声を人工的に合成したものではないが、現在のＡＩ技術ならばそのような合成音声を作ることも可能だろう。

「今は危険な時代です。これからは、インターネットから何を信用するか、もっと警戒する必要があります」と、偽オバマはこの動画の中で締めくくっている。

政治家の発言の加工は、ディープフェイクの登場以前から行われてきた。しかし、最近まで映像や音声の編集は大変な作業であり、専門的な技術と機材と根気が必要だった。このクオリティの動画を作成するには時間とお金と労力がかかったが、ディープフェイクがさらに一般に浸透すると、誰でもパソコンのブラウザやスマートフォンのアプリで制作できるようになる。

ディープフェイクの登場以降、偽オバマ大統領以外にも、政治家の偽動画が数多く登場している。ドナルド・トランプ前米大統領とヒラリー・クリントンの顔を交換した偽動画、捏造された政治家の性的動画や他の政治家を罵倒する動画なども存在する。

２０２０年の米大統領選挙や２０２２年の米中間選挙では、ディープフェイクが拡散して社会に混乱を招き、選挙結果に影響を及ぼすことが警戒されていたが、幸いにしてそのような事態にはならなかった。しかし、ディープフェイクに勝利したと言うには時期尚早である。

ディープフェイクが政治的な目的で悪用され、選挙介入やプロパガンダの武器として使用される危険性には注意しなければならない。政治的なコンテンツへの信頼が揺らげば、それは民主主義の根底に関わる。

ティックトックでバズるトム・クルーズ

２０２１年３月、若者を中心に人気のショート動画共有サイトのティックトック（TikTok）に、ハリウッド俳優のトム・クルーズがゴルフや手品をする動画が投稿され、話題になった。この動画はその数日後には非公開になったが、それまでに１１００万回以上再生された。この動画を投稿したのは「@deeptomcruise」というアカウント。このアカウント名から察しがつくように、これもまたディープフェイクによって作られた偽動画だった。

図2　トム・クルーズのディープフェイク動画の作り方を解説したYouTube動画

出典：https://www.youtube.com/watch?v=wq-kmFCrF5Q

この偽動画を制作したのは、クリス・ウメというベルギー在住の視覚効果アーティストで、俳優ものまね芸人のマイルズ・フィッシャーと組んで、彼がちょっとした楽しみのために作ったものだった（図2）。この偽動画の作成には、メタフィジック（Metaphysic）というプロ仕様のソフトが使用された。当人たちはまさかSNS（交流サイト）でバズって、話題になるとは思ってもみなかったようだ。

この動画の制作には、AIを学習させるのに2か月、動画の撮影に数日、さらに撮影後の編集で動画1つあたり1日程度を費やしたという。ディープフェイクが身近になったとはいえ、2021年当時はこのクオリティの合成メディアはボタン1つで完成、というわけではなかった。

ウメはこの動画の制作の概要を自身のユーチュー

ブで公開し、その目的を「見るもの全てが正しい情報ではないという認識を高めるため」だと話している。ウメもフィッシャーもトム・クルーズのファンであることを公言しており、トム・クルーズ愛から生まれたディープフェイクだった。

同じハリウッド俳優でも、あまりリスペクトが感じられないディープフェイクもある。フェイク・アップなどのアプリを用いて、ニコラス・ケイジが出演していない映画に彼の顔をはめこんだ合成動画を作るのが、「インターネット・ミーム」（みんなが真似することでネット上を拡散する行動。ある種のネタ）になっている。

例えば、映画『マン・オブ・スティール』の映像を使い、ハリウッド女優のエイミー・アダムスの顔とケイジの顔を入れ替えた偽動画がある。この映画を見たことがない人がこの動画を見ると、あまりにも自然な顔の動きなので、偽ケイジだと気づかないほどである。その他にも、ハリウッド俳優を標的として、ジョークではすまない悪質な偽動画もインターネット上に拡散している。

一方、ハリウッド俳優のブルース・ウィリスの合成動画を用いた広告があるが、これは本人公認のものである。ロシアの通信会社のコマーシャル用に制作されたもので、映画『ダイ・ハード』および『フィフス・エレメント』の映像から、ディープフェイク技術を用いてロシア人俳優にウィリスの顔を重ねて合成されたものだ。本人の合意なく不正に用いれば問題だが、本人の合意のもとに用いれば、映像産業の新たな表現手段となる。

2020年3月に、ウィリスは失語症のため引退を発表している。生身のウィリスが映画「ダイ・ハード」シリーズの続編に登場することはないかもしれないが、彼のディープフェイクが熱演を見せ、映画館を沸かせる日が来るかもしれない。

ただし、この動画広告を制作した米国企業ディープケーキ（Deepcake）に対して、将来の映画や広告などにウィリスのディープフェイクを出演させる権利を売却したという一部報道があったが、それはウィリスの代理人が否定している。ディープ・ウィリスが銀幕に帰ってくるのは、まだ先になりそうだ。ディープフェイク時代、デジタル肖像権の問題は新たな著作権紛争の火種となりそうである。

ＡＩの合成音声・映像を映画などの作品に使うことについては賛否両論ある。その完成度が低ければ、人々に違和感を覚えさせ、作品への集中を削いでしまったり、作品全体の雰囲気を壊してしまったりする危険性もある。作品の作り手側には、本人のイメージを損なわないように十分な配慮が求められる。偽物の出来映えが本物の評価にも跳ね返ってくる。

ディープポルノ――日本では逮捕者も

前述の通り、ディープフェイクは新手のポルノとしてレディットで公開された。それによって直ちに生じた問題が、ディープフェイク製の偽ポルノの急増だ。それらは「ディープフェイク・ポルノ」あるいは「ディープポルノ」と呼ばれる。

オランダのサイバーセキュリティ会社センシティ（Sensity）（旧ディープトレイス）の調査によると、2019年7月にインターネット上で観測されたディープフェイク動画の数は約1万5000本で、そのうちの実に96％がポルノだった。[2]そして、2020年に確認されたディープポルノ動画は約2万7000本で、そのうちの3割がポルノサイトにアップされ、残りの7割がディープフェイクに特化したポルノサイトに投稿されていた。また、ディープポルノ制作者たちが集う地下コミュニティがあり、10万人以上のメンバーが偽ポルノ制作の腕を競っているという。

現在、ディープポルノで無断使用されている画像は、ほとんどが女性のものである。そして、女性のセレブやミュージシャン、女優などの有名人の画像を使って合成されたディープポルノ動画が圧倒的な数を占める。映画『ハリー・ポッター』のハーマイオニー役で知られる女優エマ・ワトソンの顔が使われた偽ポルノ動画は、ポルノサイトでこれまでに数千万回以上視聴されている。

こうした動画には広告が表示されるため、広告収入が大きな収入源となっているポルノサイト側が、積極的にディープポルノを削除する動機は少ないだろう。

これまでは有名人のディープポルノが多かったが、最近では一般人を狙ったものも増加傾向にある。ＳＮＳにアップした何気ない日常の写真が切り取られ、許可なく素材として使われ、不当に合成されたヌードやポルノが作られ、勝手にアップされて拡散する。一旦拡散された偽ポルノは次々とコピーされ、「デジタルタトゥー」となってインターネットに残り続け、決して消えることはない。偽ポルノに映りこんだ人物が自分ではないと言っても、聞いてもらえず、偽ポルノだけが独り歩きをしてしまう。そんな危険性がある。

ディープフェイクの技術が「リベンジポルノ」に悪用される恐れもある。従来のリベンジポルノでは、性行為の最中などに撮影された写真や動画がインターネットにばら撒かれることが多かった。しかし、ディープフェイクを使用すれば、インスタグラムなどにアップした顔写真が数枚あれば、簡単にポルノを合成できてしまうため、裸の写真を撮られていない場合でも被害に遭う恐れがある（名前は伏せるが、女性が写っている写真から衣服を取り除いて合成ヌードを作成するアプリも存在する）。

かつての「アイコラ」（人気アイドルの顔をすり替えるディープフェイク以前の技術）とは異なり、ディープフェイク動画は、本人と見間違ってしまうほど精巧なので、被害がより深刻化する恐れがある。

日本ではディープポルノで逮捕者も出ている。２０２０年10月、ＡＩを使ってポルノ動画の人物の顔を女性タレントの顔にすり替えた偽ポルノをインターネットで公開したとして、警視庁は男性２人を名誉毀損と著作権法違反の疑いで逮捕した。ディープポルノでの逮捕はこれが国内初である。容疑者２名は、２０１９年12月から２０２０年７月ごろまで、フリーソフトを使って合成したポルノ動画をウェブサイトで約４００本公開し、80万円以上の収益を得ていたという。

また、２０２０年11月には、ディープポルノ動画のＵＲＬを自身のまとめサイトに掲載したとして、サイトの運営者らが名誉毀損の疑いで警視庁に逮捕された。容疑者は、自分でディープポルノを作成したわけではないが、偽ポルノ動画が注目を集めることで、標的にされた女性タレントはイメージを著しく毀損される。そのことが問題になった。

ディープポルノは、標的にされた女性たちを傷つけ、侮辱し、一生脅迫し続ける深刻な問題である。現在、ディープポルノの制作やサイト運営への関与で問われる可能性のある罪は、名誉毀損、著作権法違反、わいせつ物頒布等罪だけである。人生に不可逆的なダメージを与えるリスクを考えると、法規制が時代に追いついていない。

ディープボイス詐欺

ディープフェイクの技術を用いた詐欺事件も現実に起きている。

2019年3月、英国を拠点とするエネルギー企業において（社名は非公開）、AIによる合成音声を使ったなりすまし詐欺が起きた。この英国企業のCEO（最高経営責任者）は、ドイツにある親会社のCEOから「ハンガリーの業者に22万ユーロ（約3000万円）を大至急送金するように」という指示を電話で受け、それを信じて送金を行った。しかしその指示は、ドイツにいるCEOの声に似せてなりすました詐欺師からのものだった。

この英企業には初回の送金後にも再び送金を求める電話がかかってきた。しかし、その電話がドイツからではなくオーストリアからかかってきていることに気づいたため、２度目の送金は行わずに事なきを得た。しかし、最初の送金はハンガリーの口座に振り込まれた後、メキシコに送金されたことが確認されている。そして、この詐欺師は姿をくらまし、大金をだまし取られてしまった。

この事件を調査した信用保険会社ユーラーヘルメスの報告によると、この音声詐欺に使用されたのは市販のＡＩで、ドイツ話者の発音や独特の訛りが再現されていたため、合成音声だとは気づかなかったと報告されている。ディープフェイクの音声版とも言えるこの手法は「ディープボイス」と呼ばれている。

一般的に、企業のＣＥＯは会見など公の場に登場したり、インタビューなどの動画がメディアで公開されたりする機会が多いため、音声データを比較的容易に入手できる。したがって、企業のＣＥＯはディープボイス攻撃の対象となりやすい。サイバーセキュリティに関するソフトウェアの開発と販売を行っているシマンテックによると、今回の音声詐欺に酷似したディープボイス詐欺が２０１９年までに複数回確認されているという。

本人そっくりの声を合成するためには、現状ではＡＩの訓練用に音声データがある程度必要なため、一般人の場合は、ユーチューブ、インスタグラム、ティックトックなどのＳＮＳ

に自分の動画や音声をアップしているような人でなければ、精度が高い合成音声を作ることは難しい。その点、起業家、芸能人、ＳＮＳのインフルエンサーなどは、声を含む動画が公開されているケースが多いので、一般人よりもディープボイスを作りやすい。したがって、詐欺事件にも利用されやすいということになる。

もちろん、オレオレ詐欺などの振り込め詐欺がなくならないことを考えれば、出来の悪い合成音声であっても、一般人がディープボイス詐欺の標的になる可能性はある。詐欺行為がＡＩで自動化・多量化されれば、だまされる人数が増えるのは確率的に自明である。画像や動画だけでなく、かかってきた電話の音声もディープフェイクによって偽造されている可能性があるという意識を持っているかどうかで、その後の詐欺被害を受ける確率が変わる。

顔認証のハッキング

ディープフェイクによる顔認証を悪用した事件も身近な脅威となりつつある。

２０２１年６月、日立製作所の研究開発グループは、ｅＫＹＣ（electronic Know Your Customer）と呼ばれるオンライン上で本人確認をする仕組みが突破される恐れがある、という研究成果を発表した。[3] ディープフェイクの技術と他人の身分証を使用することで、そのようなことが可能になるという。

ｅＫＹＣはスマートフォンを使って運転免許証などの顔写真付きの本人確認書類と一緒に、顔の動画や写真を撮影する仕組みで、これらが一致すれば同一人物として認証される。非対面ですぐに本人確認できることから、金融機関から一般事業者まで幅広く使われているシステムだ。

同研究グループは、ディープフェイクの技術で女性が男性になりすます実験を行った。まず、男性の運転免許証を用意し、スマートフォンのｅＫＹＣのアプリを使って運転免許証の表面や裏面、厚みなど角度を変えて撮影した。次に、その男性の容姿をカメラで撮影する代わりに、ある女性がその男性になりすました偽動画を用意した。その偽動画は、男性の運転免許証とは別カットの写真を入力して、アバタリファイ（Avatarify）というディープフェイク作成ソフトを使って作成したものだ。なりすまし役の女性は、パソコンのカメラに向かって顔を上下左右に動かしたり、口を開けたりといった動作をするディープフェイクを作成して、モニターに表示した。この方法によって、女性が男性になりすませるかを検証したところ、ディープフェイクの偽動画と男性の運転免許証の顔写真が同一人物だと判定された。

したがって、原理的には、一枚の容姿画像からディープフェイクによって偽動画を作成し、本人になりすまして顔認証を突破できる恐れがあるのだ。

中国では、ディープフェイクを悪用して顔認証が突破され、お金が盗み取られる被害が相次いで報告されている。2022年4月、浙江省のある男性は、友人がインターネット上にアップした動画に映っていた自身の顔データがディープフェイクに悪用され、約5万人民元(約100万円)をだまし取られた。自分がSNSの使い方に気をつけても、これでは防ぎようがない。

2021年、安徽省合肥市の公安当局は、ディープフェイクで他人の顔動画を作成し、反社会産業に対して技術支援をしていた犯罪グループを摘発した。押収した容疑者のパソコンには、顔写真や身分証明書のデータなどが入っていたが、これらの個人データは、本人の知らないうちにインターネット上で転売されていたものだった。

顔写真をはじめとする人物画像は、誰もが気軽にSNSに投稿する傾向があり、第三者にとって入手しやすい。したがって、このような合成画像を用いた詐欺は、有名人だけでなく、一般の人々も標的にされやすい。

ｅＫＹＣサービスを提供する企業も、顔認証のハッキングに対抗する技術開発を急いでいる。カメラに映った容姿が本人でなく、静止画や動画であれば自動検知して受け付けない技術や、容姿と運転免許証の厚みなどを同時に撮影することによって、なりすましを防ぐような技術も出てきている。しかし、技術だけでこうした詐欺を防ぐことは困難なため、疑義のある事案が発生した際に初動を速やかにできるように、ディープフェイク詐欺を念頭に置いた対応策を事前に検討しておくことも重要になる。

チープフェイク――ろれつが回らないペロシ議長

２０１９年5月、米民主党の下院議長ナンシー・ペロシが、ろれつが回らない状態で話しているかのような動画がユーチューブに登場し、ツイッターやフェイスブックなどのＳＮＳで瞬く間に拡散した。問題の動画は、ペロシが会見でトランプ大統領を批判するもので、共和党支持派のグループが投稿したものだ。酔っ払っているように見えるように、再生速度を落とした上で、声の音を高めて自然な発話に聞こえるように印象操作された偽動画だった。しかし、加工の話している内容そのものは事実だが、彼女を陥れるために加工されている。しかし、加工の技術や精度はさほどではない。

このように、動画のスロー再生、高速再生、切り取り、既存映像のつぎはぎなど、市販のソフトでもできるような基本編集だけで、情報の文脈を変化させることを目的としたメディアを「チープフェイク（Cheapfakes）」と呼び、ディープフェイクと区別することがある。

ペロシのチープフェイク動画は、トランプ大統領の公式ツイッターアカウントにリツイートされ、2019年7月31日時点で600万回以上再生された。フェイスブックでは、この動画は最初の投稿から48時間で220万回以上再生され、コメント欄には「酔っ払い」「おしゃべりな混乱者」など、ペロシに対する批判が相次いだ。

ワシントンポストはこの動画について検証を行い、改変の前後で動画を比較して、これが偽ビデオだと直ちに報道した。[4] ユーチューブは速やかにこの動画を削除したが、フェイスブックは動画共有を制限しただけで、削除はしなかった。

ペロシは、フェイスブックが動画の削除を拒否したことを強く批判したが、その件に対して、フェイスブック側は「フェイスブックに投稿する情報は真実でなければならないと規定するポリシーはありません」と回答した。しかしその後、同社CEOのマーク・ザッカーバーグは、対応が遅れたことを認め、ポリシーを運用する上で過ちを犯したと反省の弁を述べている。

２０２０年1月には、ジョー・バイデン（当時、米大統領候補）を白人至上主義者と印象付けるような動画が拡散した。この動画の中でバイデンは次のように述べている。「我々の文化。それはアフリカやアジアのどこかの国から持ち込まれたものではない。それは我々の英国法に由来する文化、我々の欧州の文化である」。しかしこれは、10分以上あるスピーチの一部を切り取ったものだった。この発言は、家庭内暴力や性的暴行に対するこれまでの取り組みを説明する中、これらの問題が文化の問題であり、そのルーツが英国法にあるという文脈の中で語られたものだった。動画を切り取り、別の文脈で使用するという典型的なチープフェイクである。

これらのチープフェイク動画は、素材そのものは本物なのだが、印象操作や政治的影響を目的として動画が操作・編集されている。そうした悪意を持った個人や集団にとっては、偽情報を作る方法が「ディープフェイク」か「チープフェイク」かは関係ない。どちらの方法であれ、視覚的なデマを作って、目的が達成されればよいのだ。

ディープフェイク興隆の時代に、チープフェイクの存在は別の意味を持ち始めている。

偽ゼレンスキーかく語りき

ディープフェイクの技術はポルノや詐欺など様々な用途に悪用されうるが、想定される中で最悪なものが戦争への利用だろう。つまり、情報戦において「リアルな視覚的デマ」を作る武器として使われるということである。そして、そのような事態は起こってしまった。

2022年2月24日、ロシアによるウクライナへの軍事侵攻が始まった。これはSNS時代初の戦争である。

SNSは現地の様子を伝え、遠隔の人々をつなぎ、支援の輪を広げる役割を果たしているが、フェイクニュースやプロパガンダを増幅する役割も担ってしまっている。実際、「ウクライナの戦争はでっちあげで、民間人の犠牲者は俳優たちが演じているのだ」というデマも広がった。その証拠として拡散された男性と女性が顔に血糊を塗る動画は、2020年のウクライナのテレビドラマで撮影されたものだった。

2022年3月上旬、ロシアはフェイスブック、インスタグラム、ツイッターなどの主要なSNSへのロシア国内からのアクセスを遮断した。ただし、ユーチューブだけは例外で、いまだにロシア国内では欧米の動画が視聴できる状態が続いている。この理由について

図3　ゼレンスキー大統領のディープフェイク

出典：https://twitter.com/MikaelThalen/status/1504123674516885507

ウォール・ストリート・ジャーナルは、ユーチューブに匹敵するロシア系の動画サイトがないため、ブロックすると国民の反発を招くからだと推測している。偽動画でプロパガンダを仕掛けているロシアにとって、ユーチューブが情報統制の穴になっている。

同年3月16日、先述の懸念が現実のものとなった。ウクライナのウォロディミル・ゼレンスキー大統領が、国民に武器を置いて降伏するように呼びかける偽動画が、何者かによるハッキングによって、ウクライナのニュースチャンネルのサイトで公開された（図3）。しかし、この動画のゼレンスキーは、不自然に体の動きが少なく、声が本人よりも低いなど、すぐに偽物と見破られる程度のものだった。それでも、この偽動画は、ユーチューブやフェイスブックに投稿され、インターネット上に広まり、ロシア発のチャットツールの「テレグラム（Telegram）」やロシア最大級のＳＮＳである「フコンタクテ（VKontakte）」にも広まった。

この事態を受けてゼレンスキーは、自らのインスタグラムの投稿で、速やかにこのディープフェイク動画の内容を否定し、これは子供じみた挑発であると断じた。いつもは後手に回りがちなプラットフォームも、誤解を招く恐れのある操作されたメディアに対するポリシーに違反したとして、直ちに投稿された動画を削除した。

この事件はディープフェイクが戦争に用いられた最初の例だが、それを見事に火消しした好例でもある。テクノロジーメディア「ワイアード」の記事[5]によると、ウクライナ政府の戦略的コミュニケーションセンターは、ゼレンスキーがロシアへの降伏を発表しているように見せかけた偽動画をロシアが作成している可能性に早くから気づき、備えていたようである。

ゼレンスキーは、事件が起きた後、ＳＮＳで速やかに訂正情報を自ら発信した。そのため、偽ゼレンスキー動画にだまされて投降するウクライナ人が出ることを防いだ。そして、その迅速な対応は、プラットフォーム事業者の速やかな対応を促した。

人類史上初のディープフェイクの戦争利用は、幸いにして大惨事を防ぐことができたのだが、これがもっと精度が高いディープフェイクだったらと思うと背筋が凍る。政治指導者のディープフェイクは、今後ますます高度化することが懸念される。

AI絵画の優勝

２０２２年は、生成ＡＩのブームが巻き起こった年として記憶されるだろう。「生成ＡＩ(Generative AI)」とは、入力データから新たに別のデータを作り出すＡＩのことで、画像、音声、自然言語などの分野で盛り上がりを見せている。文章で指示を与えると、プロの画家が描いたようなクオリティの絵画、歌手のような自然な歌声、新聞記者が書いたような記事が自動で生成される。

特に画像分野では、「ダリ(DALL・E) ２」や「ミッドジャーニー(Midjourney)」などの高性能のＡＩ画像生成サービスが次々と発表され、話題となり、生成した作品をＳＮＳに投稿するユーザが激増した。例えば、「an astronaut riding a horse(乗馬する宇宙飛行士)」というテキストを画像生成ＡＩに入力すると、図４のようなリアルな絵が、１分もかからずに生成される。ＡＩの想像力を感じるような絵である。

図4　ステーブル・ディフュージョンで自動生成した「乗馬する宇宙飛行士」の画像

特に印象的な出来事は、２０２２年8月に米国コロラド州で開催された美術品評会で、画像生成ＡＩが生成した絵画が優勝したことである。この作品を提出したのは、米国のボードゲームメーカーのＣＥＯを務めるジェイソン・アレンである。

彼は、画像生成ＡＩの1つであるミッドジャーニーを使って、１００枚以上の絵を自動生成し、その中から3枚の絵を選んで、さらに、画像編集ソフトのフォトショップ（Photoshop）を使って微調整を繰り返して、作品を完成させた。そして、提出した3つの作品のうちの1つ「Theatre D'opera Spatial（宇宙のオペラ座）」が優勝を勝ち取った。

この作品には、ドレス姿の婦人たちがいる大舞台に、神々しい光が差し込んでいる様子が描かれている。著者のような素人でも高い芸術性を感じる絵だし、ＡＩが描いた絵だと言われても、にわかには信じられないクオリティである。

優勝が決まった後、アレンはＳＮＳへの投稿で、この作品がミッドジャーニーで生成したものであることを明かした。ＡＩが描いた絵画が優勝したことに対して、その創作力を褒め称える声もあれば、芸術に対する侮辱だと批判する声もあり、ＳＮＳ上で賛否両論の議論が巻き起こった。中には、「これがＡＩの作品だと審査員が知っていたら、優勝することはありえなかっただろう」と指摘する者もいた。

後のインタビューでアレンは、「この行為が物議を醸し出すことはわかっていた」と発言している。そして、「いずれは、ＡＩが制作した芸術を『ＡＩアート』として、独自のカテゴリーを作ることになるだろう」と述べている。

チェスや将棋で人間を打ち負かしたＡＩが、とうとう絵画でも人間を超えてしまった。この一件は、「創造性こそが人間に唯一の特徴」だと思い込んでいた私たちに疑問を突きつけ、ＡＩの想像力や、ＡＩと人間の望ましい関係性について再考を迫られる出来事である。そして、ディープフェイクのツールとして、画像生成ＡＩが日常に浸透し始めたことを暗示している。

第1章

ディープフェイクとは何か

ディープフェイクの定義

ディープフェイクは次のように定義される。

ディープフェイク【Deepfake】
「ディープラーニング（深層学習）」と「フェイク（偽物）」を組み合わせた造語。広義には、人工知能（AI）や機械学習によって生成・編集されたメディアやそのための技術のこと。狭義には、人をだます目的で、写真、音声、映像の一部を入れ替えて（別人の顔や声にすり替えるなど）、本物そっくりに合成された偽画像、偽音声、偽映像を指す。

本書ではこの広義の定義を採用する。つまり、AI技術によって作成された本物っぽい画像や動画のことをディープフェイクと呼び、話を展開する。

高度なメディア合成技術が悪意を持って使われた場合にのみディープフェイクと呼び、そうでない場合には「シンセティックメディア（Synthetic Media）」と呼ぶことがある（この文脈だと、シンセティックメディアを悪用したものがディープフェイクということになる）。例えば、ニュースや気象情報を合成音声で読み上げるＡＩアナウンサーや、伝統的なＣＧ（コンピュータグラフィックス）に代わって使われるようになったエンターテインメント技術などが該当する。

あるいは、芸術、小説、楽曲、ゲームなどの分野では、「生成ＡＩ（Generative AI）」という用語が使われる。テキストを入力するだけで、誰でもすぐにプロ顔負けのイラストを作成できる「ダリ（DALL·E）２」などの画像生成ＡＩがその代表である。最近では、テキストから映像を自動生成できるＡＩ技術も登場している。

呼び方は何にせよ、合成メディアの制作プロセスが、「ＣＧ職人による手作業から、ＡＩによる自動作成」や「ＡＩとの共創」に変わろうとしている。本書では、そのような技術の総称としてディープフェイクという言葉を用い、私たち人類が新たに直面している創造と捏造の問題を取り上げていく。

見ることは信じることではなくなったとき

「When seeing is no longer believing（見ることは信じることではなくなったとき）」と題した論文が、２０１９年８月、ネイチャー・マシン・インテリジェンス誌に掲載された[6]。その中で、国連地域間犯罪司法研究所のイラクリ・ベリゼらは「ディープフェイクはフェイクニュース問題の新たな側面である」と述べ、その潜在的リスクに最大限の警鐘を鳴らした。序章で見たように、2017年にポルノ制作のツールとして一躍有名になったディープフェイクは、瞬く間に普及して、偽造・捏造のツールとしての地位を確立し、2019年には学術界が最大限の警鐘を鳴らすほどのイノベーションになった。

その間、ディープフェイクは「視覚と信頼」の関係性を解体し続け、いかに私たちの信頼が不安定なものの上に築かれていたのかを露呈させた。しかし同時に、ディープフェイクは、私たちには新しい表現の手段や新しい信頼の作り方の可能性があることも教えてくれた。現在の情報環境において、ディープフェイクは希少種ではなく、身の回りにありふれたコンテンツとなりつつある。

サイバーセキュリティ会社センシティの調査によると、2017年に初めて登場して以降、インターネット上で観測されたディープフェイク動画の数は年々増加している。2018年12月には約8000本だったものが、2020年には8万5000本以上に急増し、6か月ごとに2倍という急激なペースでの増加を見せている（図5）。

図5　ディープフェイク動画の数の変化

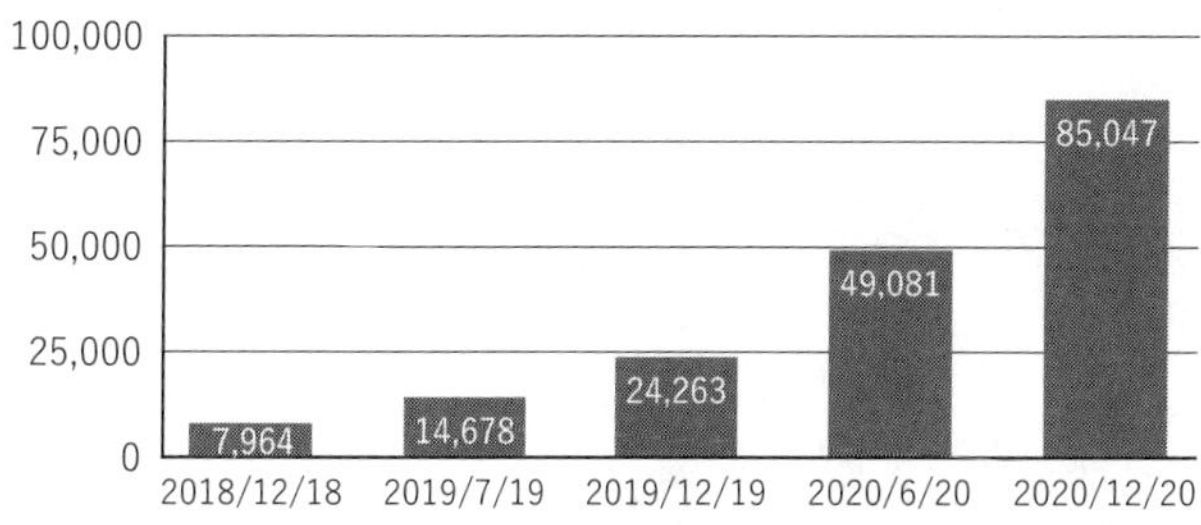

出典：次のサイトに掲載されたデータから作成
https://sensity.ai/blog/deepfake-detection/how-to-detect-a-deepfake/

先述の通り、初期のディープフェイク・コンテンツの多くが偽ポルノだった。ポルノではないディープフェイク動画のほとんどはユーチューブに投稿されていた。一方、ポルノ系の偽動画の場合は、全体の７割近くが、通常のポルノサイトではなく、ディープフェイク専用のポルノサイトに投稿されていた。

調査会社センチネルのレポートによると、２０１７年から２０２０年の間、ディープフェイク動画はユーチューブで約54億回、ティックトックで６５００万回も再生された。[7] これらのプラットフォームの場合、投稿された動画のほとんどが、視聴者を楽しませる目的で作られた非ポルノ系コンテンツだが、映画のワンシーンや有名人の顔を勝手に編集・加工した、著作権や肖像権に抵触するコンテンツも少なくなかった。これらの約８割が、ある人と別の人の顔を入れ替える操作によって作られていた。

ディープフェイク画像や動画の急増を受けて、ディープフェイクに関する研究も増加している。実際、ディープフェイク関連の論文の数は増えてきてはいるが、そのほとんどは、ディープフェイク・コンテンツ（画像、音声、動画）の生成や検出のための新技術に関する論文、もしくはそれらの論文を網羅的に調べたレビュー論文である。著者たちの研究によると、ディープフェイクが社会に及ぼす影響を分析し、考察した論文はまだ少ない[8]。

ディープフェイクを作る技術と見抜く技術の進化はいたちごっこの様相を呈しており、リスクを正しく理解し、備えるために、ディープフェイクの社会科学が今後ますます重要になる。そのような研究は、「見ることは信じること」である社会をもう一度取り戻すために、どのような技術や制度が必要かについての洞察を与える。

視聴覚メディア操作の歴史

ディープフェイク以前から視聴覚メディアの操作は行われており、それはメディアそのものの歴史と同じぐらい古くから存在する。１８５０年代の風景写真家たちは、陸と空を別々に露光し、暗室で1枚の画像に合成する操作を一般的に行っていた。政治においても、写真を加工することによる印象操作は、昔から頻繁に行われてきた。ブロンクス・ドキュメントセンターのウェブサイト「Altered Images（改変画像）」を訪れると、そのような偽写真をたくさん見ることができる。[9]

1865年に制作されたとされる、奴隷解放宣言で知られる第16代米国大統領エイブラハム・リンカーンの銀板写真による有名な肖像画は、人物画像操作の初期の試みの1つである。この肖像画の顔はリンカーン本人のものだが、それ以外はジョン・カルフーンという別の米政治家のものだ。リンカーンが暗殺されたこの年、彼の肖像画が存在しなかったため、すでに亡くなっていたカルフーンの威厳ある肖像画が目に止まり、カルフーンの体にリンカーンの顔が合成された肖像画が作成されたと言われている。奴隷制度を支持していたカルフーンと奴隷解放宣言をしたリンカーンの写真が合成されてしまったというのは、何とも皮肉な話である。

過酷な抑圧政策で知られるソビエト連邦の独裁者ヨシフ・スターリンも、印象操作のために様々な写真の改ざんを行ったことが知られている。1919年の革命記念日に赤の広場で撮られたオリジナルの写真には、初代指導者ウラジーミル・レーニンと、彼の死後にスターリンと権力の座を争ったレフ・トロツキーが写っていたが、後の写真ではトロツキーの他数名が写真から消されている。フォトショップ以前の時代から、人々を欺く目的でこのような画像編集が行われてきた。

しかし、人工知能（AI）と機械学習の技術的進歩とともに登場したディープフェイクは、それらとは比べ物にならない視聴覚メディア操作の最先端技術であり、非常にリアルで信憑性の高いコンテンツを誰もが自動で生成することを可能にする。

それが可能になった技術的な理由は、ディープラーニング（深層学習）と呼ばれる、機械学習の手法が登場したことと、人物などに関する膨大なデータ（ビッグデータ）をインターネットから収集し、学習の素材として利用できるようになったことである（詳細は第2章）。

ディープフェイクの登場は、視聴覚メディア操作における歴史的転機と言える。肖像画の偽リンカーンはしゃべったりしないが、ディープフェイク動画の偽大統領は、作成者が自在にその発言を操ることができてしまう。ディープフェイクは、人間が偽物と見抜くことが不可能な、そしてAIですら困難なレベルに達しつつある。

○○は存在しない

図6　ディープフェイクで生成された人物画像(A)と猫画像(B)

(A)

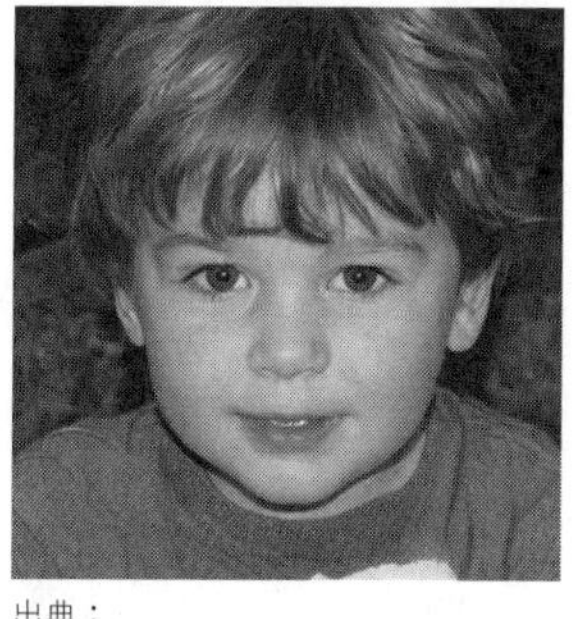

(B)

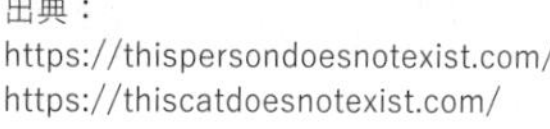

出典：
https://thispersondoesnotexist.com/
https://thiscatdoesnotexist.com/

図6を見てほしい。目がくりっとした可愛らしい幼児と、耳をピンと立ててこちらを警戒している猫。一見、どこにでもいそうな子供と猫だが、この世のどこにも存在しない。どちらもディープラーニングの手法を用いて生成された画像である。

Ａの子供は、ソフトウェアエンジニアであるフィリップ・ワンが２０１９年２月に公開した、この世に存在しない架空の人物の顔を表示する「This Person Does Not Exist（この人は存在しない）」というウェブサイト[10]で公開されている画像の１つだ。

ブラウザでこのサイトを訪れ、リロードをするたびに、ＳｔｙｌｅＧＡＮと呼ばれるディープラーニングの一種を用いて生成された架空の人物がランダムに表示される。立派な髭(ひげ)を蓄えた白髪の老紳士、愛くるしい笑顔の幼児、アフリカ系のさわやかな青年、スポーティーなアジア系の女性、目にするどの画像も非常にリアルだが、全てこの世に存在しない人物である。

Bの猫は、同様のウェブサイト[11]「This Cat Does Not Exist（この猫は存在しない）」で公開されている画像の1つだ。このサイトは2019年2月22日（猫の日）に公開され、猫好きの間で話題になった。生成手法は明記されていないが、いずれも表示される画像のクオリティは高く、キジトラ、サバトラ、茶トラ、白ブチ、黒ブチ、様々な種類の架空の猫が、ブラウザをリロードするたびに表示される。

画像を自動生成するこれらのサイトが世界中で注目された後、架空のアニメ画像を生成するサイト「This Anime Does Not Exist（このアニメは存在しない）」架空の食べ物の写真を生成できるサイト「This Food Does Not Exist（この食べ物は存在しない）」など、類似のウェブサイトが次々と登場している。これら2つのウェブサイトは2021年と2022年にそれぞれ公開されたが、画像生成に用いられる手法もStyleGAN2にアップデートされ、たった2、3年で生成される画像のクオリティが大きく向上している。そして、このような技術を持つコミュニティの裾野も広がった。

「○○は存在しない」系のサイトは、誰でも手軽にリアルな画像を作れるようになってきたことを示す格好の例である。鼻口の配置や比率がおかしかったり、不思議な場所に影がついていたりなど、失敗画像が表示されることもあるが、総じて生成画像のリアリティは高く、現在のディープフェイク画像の生成精度には驚くべきものがある。音声や動画のディープフェイクについても同様の状況になりつつある。

ディープフェイクの影響力

ディープフェイクが社会的に大きな影響力を持つ理由は何だろうか。ビクトリア大学の研究者らはその理由として、ディープフェイクの「信憑性（Believability）」と「アクセス性（Accessibility）」の向上をあげている。[12]

1つ目のディープフェイクの「信憑性」とは、フェイクコンテンツの本物らしさである。様々な編集技術が登場して画像や映像の捏造が可能になったことで、写真やビデオへの信頼度が徐々に失われてきているとはいえ、私たちはいまだに証拠写真や証拠映像を信用の拠り所にしている。私たちは、聞き覚えのある声や目の前の映像を信用する傾向がある。

人間の脳の視覚情報処理は、日常のほとんどの場面では正確であるにもかかわらず、誤認識を引き起こすこともある。古典的な例としては、ミュラー・リヤー錯視（図7A）のような幾何学的錯視や、ペンローズの階段（図7B）のように実際にはありえないのに自然に見えてしまう図形がある。これらの図形の見え方が定まらないことからくる違和感は、普段私たちがいかに自分たちの目を信じているかということと、私たちの視覚は案外当てにならないという事実を物語っている。

私たちは自分の目で何かを見ると、それがありそうになくても先入観で見て、自分の中で意味付けをし、存在するとか真実であると思ってしまう。それが、本物らしさが増したディープフェイクであればなおさらである。

初期のディープフェイクは、加工・編集されていることがすぐにわかる程度のものだった。不自然な陰影や光、目立つつなぎ目や背景のゆがみ、ちょっとした合成の乱れなど、偽物かもしれないという意識を呼び覚ますのに十分な手がかりがあった。しかし、ディープフェイクという言葉が生まれてからわずか数年で、生成した画像や映像の精度が大きく向上し、本物とＡＩで合成した偽物を見分けることは著しく難しくなった。

もはや偽物かもしれないという意識がよぎる間もなく、私たちは「Seeing is believing（見

図7　錯視とだまし絵

(A)ミュラー・リヤー錯視

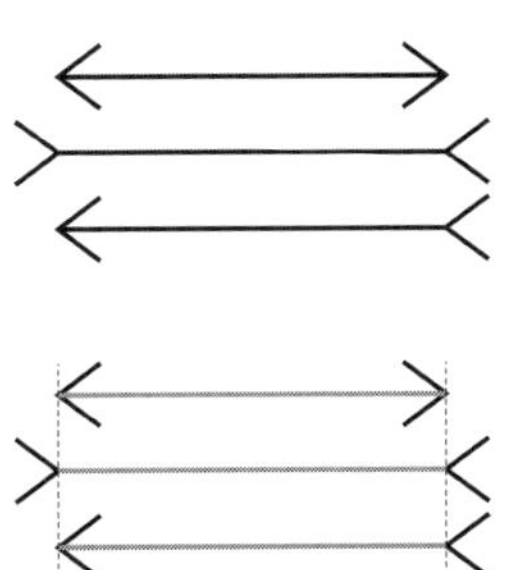

(B)ペンローズの階段

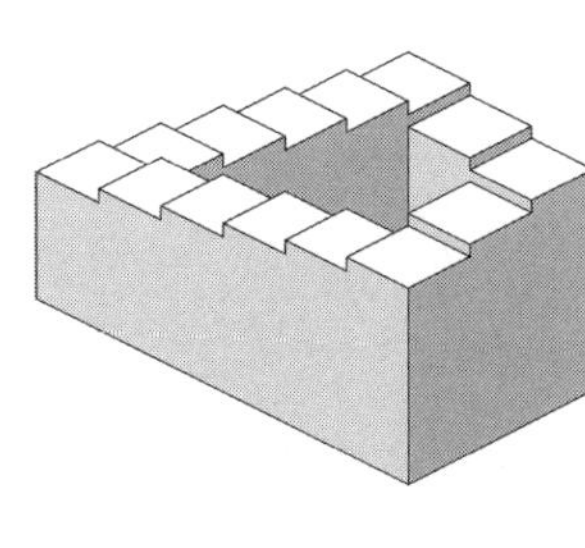

ることは信じること）」のモードに入ってしまう。フェイクコンテンツの完成度が著しく上がったことで、信憑性が格段に上がっている。

もう1つの理由であるディープフェイクの「アクセス性」とは、フェイクコンテンツの作成の容易さである。

映画産業では最先端のＣＧを活用して、非常にリアルに見える映像を作り続けてきた。例えば、２００９年にアカデミー賞視覚効果賞を受賞した『ベンジャミン・バトン　数奇な人生』はＣＧを駆使して、老人の外見と病気で生まれた赤ん坊が、80年の歳月をかけて若返り、幼児に変身するというストーリーを表現してみせた。

当時このようなフェイクを作るためには、ＣＧの専門知識とそのスキルを身につけるためのトレーニング、高価なハードウェアと特別なソフトウェアが必要だった。そして、その道のプロであっても、このような作品を完成させるためには多くの労力を必要とした。しかし現在は、データの収集や技術習得のためのトレーニングをしなくても、専用のハードウェアやソフトウェアがなくても、誰でも本物に見えるフェイクコンテンツを作ることができるようになってきた。

2018年に登場した顔交換プログラムのフェイク・アップは、ディープフェイクを作成するために大量のデータを必要としたが、その後に出た同様のアプリではその点が改善され、一般ユーザにとって、ディープフェイクを作成するハードルが下がっている。

中国のメーカーが2019年8月に公開したアプリ「ザオ（Zao）」は、数百の映画やテレビ番組のシーンにユーザが自分の顔を配置することができ、爆発的に人気になった。アプリ上での数回のクリックと数秒の待ち時間で、映画の主人公と自分の顔を入れ替えることができた。ただし、一度アップロードした顔写真はザオに所有権があり、ユーザが消せないなどの問題が指摘された。その後、プライバシーポリシーは改訂されている。

2016年に、グーグルの親会社であるアルファベット傘下のディープマインド（DeepMind）が開発したウェーブネット（WaveNet）を使えば、テキスト入力からリアルな音声を合成することができる。これを唇同期の技術（後述）と連携させれば、任意の合成人物の口から出る言葉を操ることができる。

高品質のディープフェイクを作成する技術を使うユーザの裾野が広がれば、フェイクコンテンツの量産につながる。そうしたコンテンツは、誰かを楽しませるために作られることもあれば、誰かを傷つけるために作られることもある。

ディープフェイクの構成要素

ディープフェイクを使うと非常にリアルな画像、音声、映像を自動で生成することができる。ディープフェイクは複数の要素技術の総体であり、それらを整理したものが図8である。大きく分けると「映像ディープフェイク（Visual Deepfakes）」と「音声ディープフェイク（Voice Deepfakes）」の2つがあり、ディープフェイク・コンテンツを作る際は、これらの技術を組み合わせて使うことになる。[13、14]

映像ディープフェイクの技術には、視覚メディア（画像、映像）の生成・編集の手法が含まれ、主に顔の様々な特徴を操作するような5つの要素技術がある。一方、音声ディープフェイクは、テキストから音声を合成する技術と音声のクローンを作る技術の2つがある。

図8　ディープフェイクの構成要素

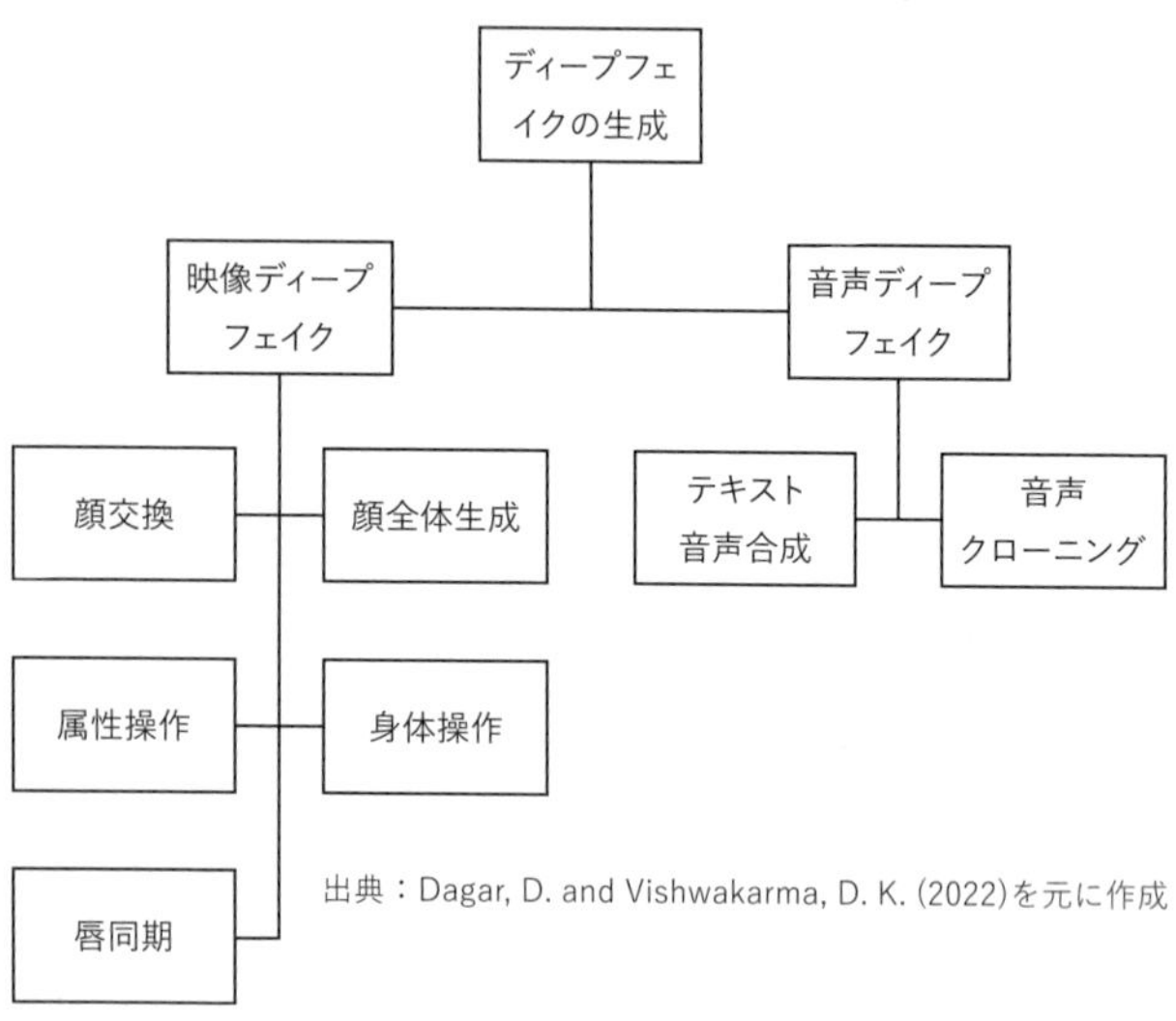

出典：Dagar, D. and Vishwakarma, D. K. (2022)を元に作成

次に、映像と音声のディープフェイク技術のそれぞれの特徴を見ていこう。これらの技術に共通するディープラーニングの仕組みについては第2章で扱う。

映像ディープフェイク

ＣＧ技術による視覚メディアの編集は、画像や映像にオブジェクトを追加したり、削除したり、複製したりすることで行われる。大きさを変えたり、回転したり、色調調整をしたりなどの処理を施した後、全体的な外観、スケール、遠近感の一貫性を調整して、合成した画像や映像の精度を上げる。ＣＧで合成画像・動画を制作するためには、高度な専門知識と専用のコンピュータが必要で、専門家でも多くの労力と時間を要する。
オートエンコーダやGANといったディープラーニングの技術が進歩したおかげで（第2章で説明）、これらの編集操作のほとんどが自動化され、簡単に画像や映像を合成できるようになった。こうしたディープラーニングを使った視覚メディアの合成技術や、その生成物を「映像ディープフェイク」と呼ぶ。

映像ディープフェイクの中でも、最も頻繁に使われている技術は「顔交換（Face/Identity Swap）」である。映像の中の人物の顔を別の人物の顔と入れ替える操作のことで、ディープフェイク動画ではおなじみの技術だ。最初にレディットに投稿された偽ポルノも、日本で逮捕者を出した偽ポルノもこの技術を使ったものだ。

プログラミングの経験がない人でも、フェイク・アップやフェイス・スワップといったソフトを使うと、顔を交換した偽画像を作成することができる。また、ディープフェイクを作成するオンラインサービスも存在し、例えば、ディープフェイクス・ウェブの場合、基本プランなら月額利用料は無料、一動画あたり約15ドルで、約5時間で制作できる。月額利用料を払ってプレミアムプランにすると、さらに高画質の顔交換動画が単価は同じまま、約1時間で制作できる。

架空の人間の顔を一から生成する技術は、「顔全体生成（Entire Face Synthesis）」と呼ばれ、これも映像ディープフェイクの重要な要素技術の1つである。「この人物は存在しない（This Person Does Not Exist）」などのサービスで作られる画像は、この手法を用いたものだ。

顔全体生成の技術は、ゲームのキャラクターや広告の架空モデルを作ることなどに使われる。この手法で作ったキャラクターや写真は完全に架空の人物のものなので、著作権や肖像権に抵触する可能性がないため、制作コストを抑えられるというメリットがある。ただし、ディープラーニングの訓練データに著作権や肖像権を侵害する画像や映像が入っていると、後で問題になる可能性がある。

また、実在する著名人を起用する場合と違って、起用した人物が不祥事を起こして、商品や企業のイメージを下げるという心配はない。一方、この技術で偽のプロフィールが作成されて、他人になりすまされる危険性もある。それが詐欺や犯罪に悪用されるリスクもある。

その他にも、性別や年齢や髪型など、顔を特徴づける特徴量を変更・修正する「属性操作

（Attribute Manipulation）」、動画中の口の領域を任意の音声に合うように変換する「唇同期（Lip Sync）」、対象人物の顔、表情、視線、動きをコントロールする「身体操作（Puppet Master）」などがあり、映像を加工するそれぞれの要素技術の完成度は著しく高まっている。

音声ディープフェイク

映像の合成技術と同様、音声合成（Speech Synthesis）の技術もディープラーニングが登場してから急速に発展した。

音声ディープフェイクで使われる音声合成の要素技術の1つが、テキストから音声データを作成する「テキスト音声合成（Text-to-speech）」である。

従来のテキスト音声合成では、不自然なイントネーションや単語間のつながりなどが目立っていたが、ディープラーニングによる手法では精度が大幅に改善し、自然な音声やトーン、感情や長文の抑揚が可能になり、複数話者の切り替えなども制御できるようになった。

改良されたテキスト音声合成の技術は、アップルのシリ（Siri）やアマゾンのアレクサ（Alexa）、カーナビといった音声ガイドなどのバーチャルアシスタント、視覚障害者が利用するインターフェースなど、日常の様々な場面で実用化されている。

音楽分野に目を向けると、クリプトン・フューチャー・メディアが開発したボーカロイドの初音ミクをご存じであれば、この音声合成の技術が、音楽シーンや二次創作の文化を劇的に変化させたことをよく知っているだろう。2022年には、東京大学と東映株式会社ツークン研究所が、1970年代から80年代に収録された松任谷（荒井）由実の歌声から音声合成の技術を用いて、当時の声色と歌唱表現を再現することに成功している。現在と当時の歌声がデュエットして、「Call me back」（松任谷由実 with 荒井由実）のミュージックビデオとして一般公開され[15]、2022年大晦日の「NHK紅白歌合戦」でも披露された。

音声ディープフェイクで使われるもう1つの技術は、「音声クローニング（Voice Cloning）」である。テキストだけでなく、特定の話者の音声も入力として同時に受け取り、あたかもその人物が話しているかのように音声を合成する技術である。この技術はディープボイスやディープフェイク動画で多用されている。

これまでの音声合成の技術では、変換する対象話者の音声データを大量に集める必要があり、精度の高い合成音声を作ることは難しかった。しかし、2016年にディープマインドがウェーブネットというディープラーニングを使った手法を発表した。この手法では、変換する対象話者の音声サンプルが数秒程度あれば、音声のクローンを作ることができるようになった。

音声クローニングの技術は、病気や事故で声を失ってしまった人々の声を合成してコミュニケーションを支援したり、唇同期の技術と併用して映画の吹き替え版を制作したり、故人の音声をメディアに記録されていた肉声から合成したりするなど、様々に有効活用されている。

その一方で、ディープボイス詐欺などに悪用された事件も発生しており、任意の声を作り、それを映像に合わせて使用できてしまうことの危険性は念頭に置く必要がある。

ディープフェイクの潜在的リスク

2020年4月、ロンドン大学ユニバーシティ・カレッジの研究者たちは、学術論文やニュースなどに基づいて、今後15年間で起こるであろうAIを用いた犯罪を20種類リストアップし、深刻度に応じて格付けを行った。[16] 深刻度を評価する基準として採用されたのは、被害の大きさ、見込める利益の大きさ、実行の容易さ、防止の困難さの4つである。その結果、最も危険度が高いと判断されたものがディープフェイクだった。

その他には、無人自動運転の武器利用、よりパーソナライズされたフィッシング詐欺、AI制御システムの破壊、大規模な脅迫を目的とした個人情報の採取、そして、AIが作成したフェイクニュースが同じランクに入った。ディープフェイクを使ってAIがフェイクニュースを生成することも可能になるため、2つをまとめて「AIによる高度なフェイク生成」が最大の脅威だと言える。

ディープフェイクの初期のものは、悪ふざけで作成されたような非常に稚拙なクオリティのものが多く、人物や物体の配置の矛盾、ピクセルの誤りなどがあるため、簡単に偽物だと見抜くことができた。しかし、ディープフェイクが巧妙化するにつれて、悪用できる技術の種類が増え、かつ悪用されたときの被害規模も大きくなる。個人、社会、国家のそれぞれのレベルにおいて、ディープフェイクにはどのような潜在的リスクが想定されるのだろうか。序章で様々な事例を見てきたが、ここで整理してみよう。

個人レベルでは、具体的な被害だけでなく、いたずらや嫌がらせ目的のためにディープフェイクが使用される可能性がある。例えば、自分の顔が合成されたディープポルノが作成され、それがＳＮＳで勝手に公開されるリベンジポルノ被害が想定される。公開された偽ポルノは、瞬く間に拡散され、消せないデジタルタトゥーとなる。非常にリアルな映像なので、いくら反証したところで周囲には信じてもらえず、精神的苦痛を受けるだけでなく、日常生活にも支障を来（きた）す恐れがある。

あるいは、差別的な発言をしている音声や公序良俗に反するような行為を行っている動画を捏造され、証拠として使われて、脅されたり、金銭を要求されたりといった被害もありうる。実際、２０２１年３月、米国ペンシルベニア州で、母親が自分の娘をチアリーダーにするために、ライバルが裸で飲酒・喫煙する動画を捏造して、本人や保護者、ジムのオーナーに送りつけるという事件が起きている。

社会レベルでも、ディープフェイクは社会経済活動の脅威や阻害要因となりうる。ディープボイスの技術で、誰でも社長やＣＥＯなどの声になりすまし、詐欺行為を行うことが原理的にはできてしまう。ディープフェイクを使った偽広告で、ライバル企業の製品を誹謗中傷（ひぼうちゅうしょう）し、ブランドの価値を毀損することも可能だろう。また、ディープフェイクを使ったデマによって、組織の評判や企業の市場価値が損なわれ、競合他社に不当な優位性を与えてしまう可能性もある。

さらにディープフェイクは、リアルさとソーシャルメディアを通じて瞬時に情報伝播する性質があるため、人々は何が本物で何が偽物かを判断することが難しくなる。ディープフェイクは、人々に誤った情報を大規模に拡散させ、社会に混乱と分裂をもたらす武器となる可能性がある。そのような不確かな情報が蔓延（まんえん）した社会では、ジャーナリズムの存在意義も公的機関への信頼も損なわれることになる。たとえ、後でその動画が偽物であると証明されたとしても、その効果を完全に覆すことは困難になる。

国家レベルでもディープフェイクの潜在的影響は甚大で、民主的プロセスに影響し、国家間の関係を悪化させる可能性がある。

2022年現在、幸いにして、懸念されていたディープフェイクによる選挙攪乱（かくらん）は、米国でも日本でも起こっていないが、タイミングよくディープフェイクが流通することで、民主主義国家の選挙に大きな影響を与える危険性はゼロではない。

ディープフェイクはプロパガンダの道具となり、市民の不安を引き起こしたり、抗議活動をエスカレートさせたりする可能性もある。さらに、政策についての議論を希薄化し、国家の安全を危険にさらす危険性もある。2022年のロシアのウクライナ侵略で、ゼレンスキー大統領のディープフェイクが使われたことは先述した（事なきを得たが）。

このように、個人、社会、国家のいずれのレベルでも、ディープフェイクの台頭によって、本物の証拠が棄損される一方で、偽物の証拠が捏造され、それによって人間関係を促進する潤滑油たる信頼が大きく揺らぐ事態が生じうる。

ディープフェイクのポテンシャル

ディープフェイクには使い方によって正負の両面がある。ディープフェイクの要素技術は正しい目的で使用すれば、多くのメリットをもたらす（図9）。特に、ゲームや音楽、テレビや映画などのエンターテイメントは最も恩恵を受ける領域だ。それ以外にも、コミュニケーション、教育、ビジネスなど、創造性に関わる分野において威力を発揮するだろう（このような文脈では、先述した通り、ディープフェイクではなくシンセティックメディアと呼ぶことがある）。

エンターテイメントは、ディープフェイク技術が真っ先に応用され、ビジネスとして成り立つことが期待される分野だ。映画製作はディープフェイクの技術を用いることで、さらに素早く、安価に、完成度の高い作品を作れるようになるだろう。映画を撮影するためには、大勢の俳優のスケジュールを調整する必要があるため、何度も撮り直しすることは時間的にも金銭的にもコストがかかるが、ディープフェイクの技術で必要箇所を合成したり、特殊効果を施したりすることが可能になる。英語のセリフから、他言語の吹き替えに変更することも、ほぼリアルタイムで処理することが可能になる。

その他にも、インターネット・ミーム、アニメ、漫画のキャラクターの創作などのエンターテイメント業界は、ディープフェイクの要素技術を創造的に活用することになるだろう。

ディープフェイクは、コミュニケーションの向上にも利用できる。体を動かすのに必要な筋肉が徐々にやせていく難病ＡＬＳ（筋萎縮性側索硬化症）などの障がいを持つ人々が、ディープボイスで自分の発話を合成することで、自己表現することを可能にする。また、ディープフェイクは、ビデオゲームでは物理的に不可能かもしれない仮想的な関わりを通して、豊かなアバター体験をすることを可能にする。

教育では、ディープフェイクの教育コンテンツが利用できるようになるだろう。序章でディープフェイクの危険性を啓蒙する偽オバマ大統領の動画を紹介したが、同様の教育コン

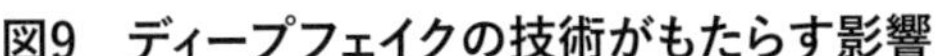
図9　ディープフェイクの技術がもたらす影響

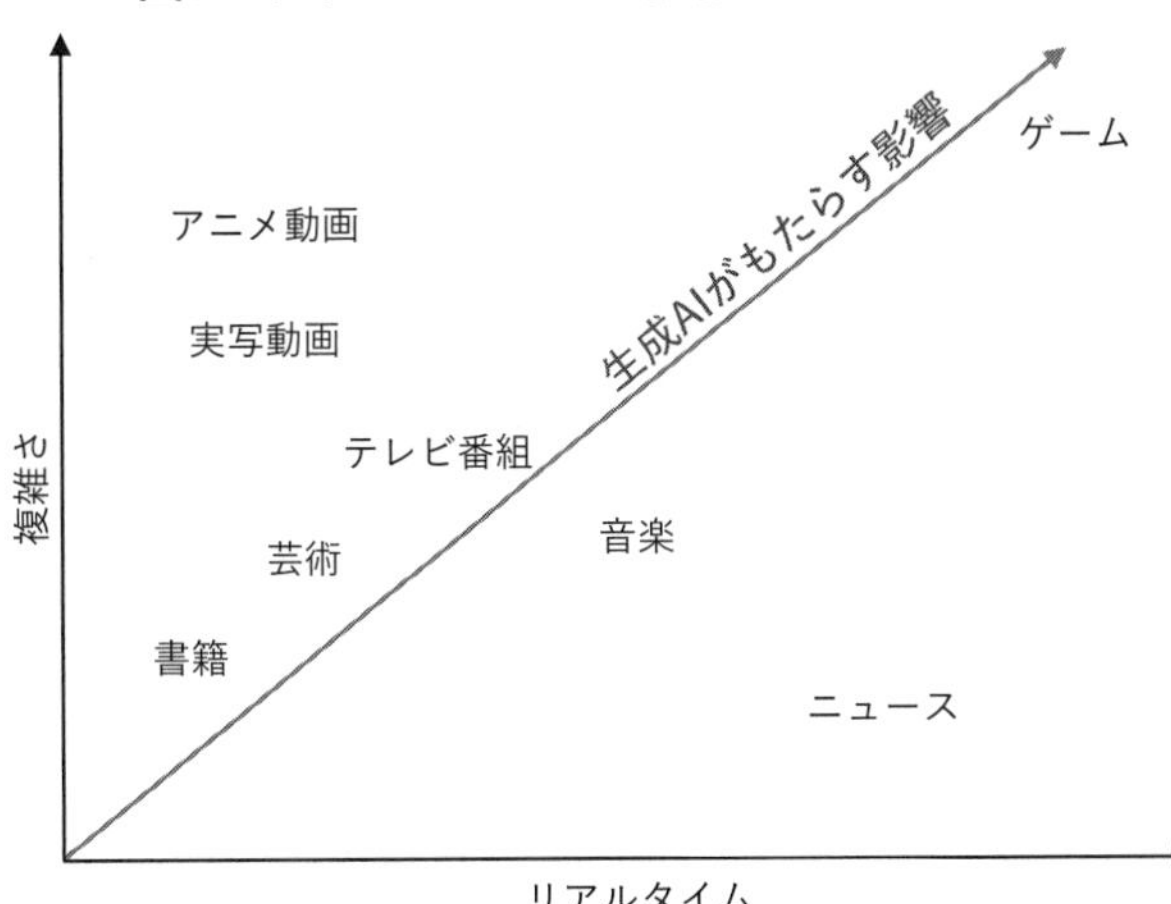

テンツを現在のディープフェイク技術で作ることは有効だろう。

例えば、ディープフェイクで合成したインド独立の父マハトマ・ガンジーが非暴力・不服従を説いたり、天才物理学者アルバート・アインシュタインが特殊相対性理論を講義したりする動画だ。ディープフェイクとはいえ、本人の語りから生まれる説得力は、学びの効果の向上が期待できる。

また、ディープフェイクは、マーケティングでも威力を発揮する。ファッション業界では、ディープフェイクによって顧客が仮想的にモデルに変身し、新しい洋服を試着する経験が可能になる。日本企業のデータグリッドは、ＡＩが生成した仮想モデルを広告に利用するサービスを展開している。ロイター通信はＡＩ企業シンセシアと共同で、スポーツ解説映像を自動生成するシステムを開発し、実証実験を行っている。これは世界初の試みだという。今後、ディープフェイクは、広告やブランディング効果を生み出す上で大きな役割を果たすだろう。

ディープフェイクの技術が高度に発達すれば、パソコン1台だけでハリウッド級の映画を作成することも夢ではなくなる。そして、ディープフェイクは、人間の創造性をさらに高める相棒となる可能性を秘めている。

視聴覚デマのスペクトル

ディープフェイクからチープフェイクまで、視聴覚デマの生成に関わるテクノロジーとテクニックを整理したものが図10である。この図は、ＮＰＯ団体データ・アンド・ソサエティが２０１９年に発行したレポートで紹介したものである。

本書の焦点はこの図の上半分、つまり、ディープラーニングなどの高度なＡＩ技術で生成したリアルな偽メディア（画像、音声、映像）だが、それは視聴覚デマの生成という視点で考えると、全体の半分の要素でしかないことに気づく。

図10　ディープフェイク / チープフェイクのスペクトル

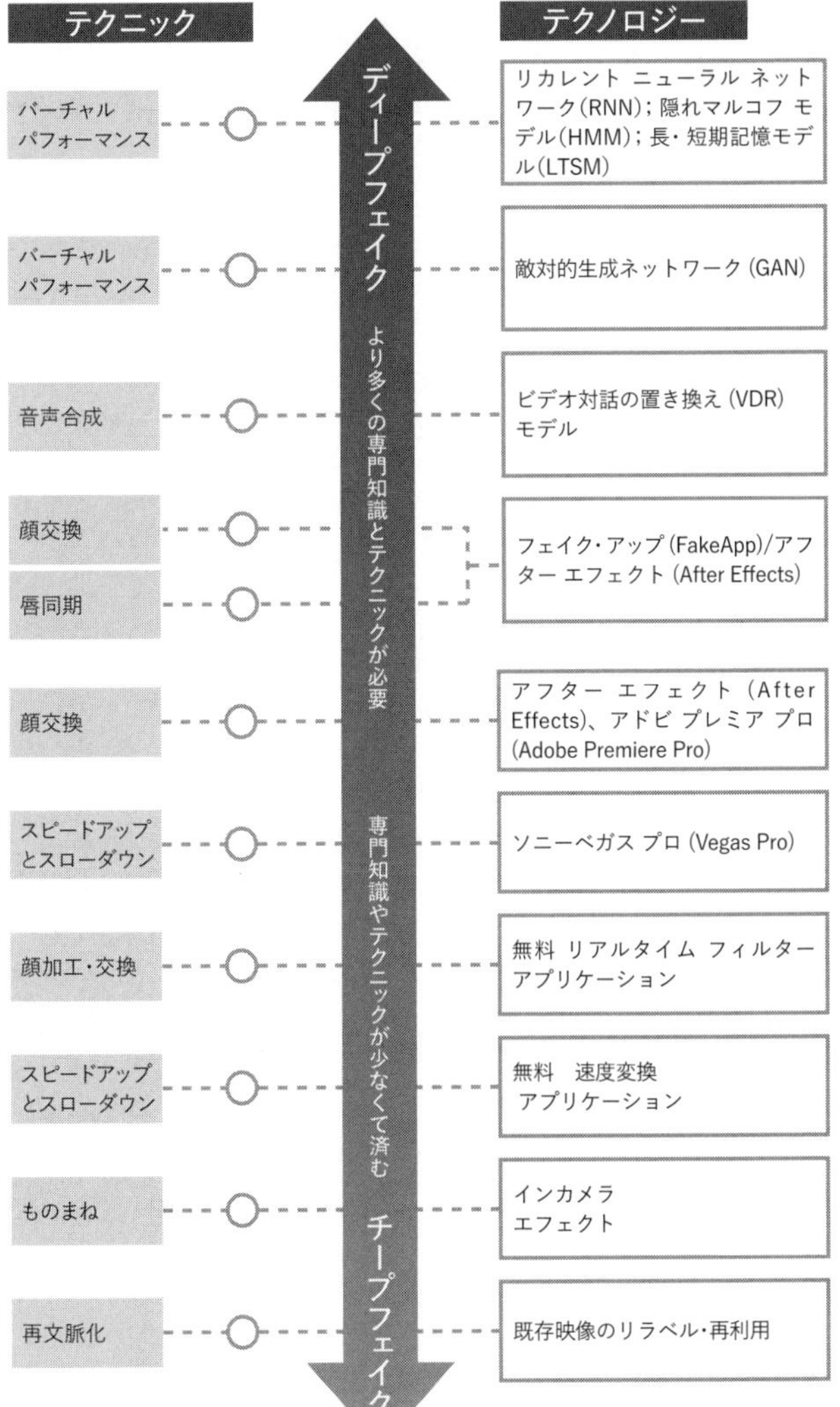

出典：Paris, B. & Donovan, J. Deepfakes and Cheap Fakes. を元に作成
http://datasociety.net/wp-content/uploads/2019/09/DS_Deepfakes_Cheap_Fakes-Final-1-1.pdf (2019)

だます目的があってメディアを操作する人や組織にとっては、手法が高度かどうかよりも、手軽にそこそこのクオリティの偽コンテンツが生成できればよいという側面がある。例えば、ナンシー・ペロシが酩酊(めいてい)しているかのように印象操作されたチープフェイク動画がそれに当たる。視聴覚デマの仕組みや対策を考えるためには、ディープフェイクだけでなく、チープフェイクについても理解を深めておく必要がある。

序章で説明した通り、チープフェイクとは、コンテンツの内容や文脈を変える目的で、市販のソフトウェアで映像のフレームが操作・編集されたり、新たなクリップが挿入されたり、あるいは再生速度が遅く(速く)されたりするといった類の改ざんである。人権団体ウィットネスのサム・グレゴリーは「シャローフェイク(Shallow Fakes)」という別の言葉を用いているが、基本的にはチープフェイクと同義語と考えてよい。

図10では、市販のソフトウェアによる基本編集以外にも、「ものまね」や既存映像を別の文脈で使いまわす「再文脈化」をチープフェイクの種類に加えている。確かに、家族や友人の声まねを使った詐欺行為は今でも後を絶たないし、災害時に、過去の災害時に撮られた写真を使って、あたかも今起こっているかのように印象操作をしたフェイクニュースが拡散す

ることもある。

特に、再文脈化は、操作としては最も簡単な部類に入るが、素材自体は本物であるため、リアリティは当然高い。場合によっては、ディープフェイクと同等かそれ以上に、人々の間違った行動を誘発する危険性のある技法である。

ワシントンポストの「操作されたビデオに関するガイド」では、チープフェイクで用いられる操作について、「文脈の欠落」、「欺瞞(ぎまん)的な編集」、「悪意のある変換」の3つをあげている[17]。文脈の欠落とは、映像を誤って表現したり、本来の文脈から切り離したりすることである。欺瞞的な編集とは、映像の一部を省略したり、新しいものを挿入したりすることである。悪意のある変換とは、動画の内容を加工したり操作したりすることである。

いずれも、政治的なプロパガンダで多用される手法である。そして、しばしば、マスメディアが行き過ぎた番組編集だとして批判されるのは、これらの操作が疑われる場合である。「効果的に伝えたい」という気持ちは、表現と真実の間で常に揺れ動くものであり、その一線を越えてしまったときにフェイクになる。

デマ拡散装置としてのSNS——エコーチェンバーとフィルターバブル

「少し想像してみてほしい。何十億もの人々から盗み出したデータ、全ての秘密、人生、未来を1人の男が完全に掌握している状況を。それは全てスペクターのおかげだ。データを掌握するものが未来も掌握する、ということをスペクターは私に教えてくれた」

そう話すメタ社CEOのマーク・ザッカーバーグの動画が、2019年6月にインスタグラムに投稿された。もちろんディープフェイクである。

この動画はアーティストのビル・ポスターとダニエル・ハウ、広告会社のキャニが、英シェフィールドで開催されたスペクターという芸術イベントの作品として共同制作したものだ。ソーシャルメディアで人々がどのように見られ、操作されうるかを示したかったのだという。

このディープフェイク動画はインスタグラムから削除されず、現在も閲覧可能になっている。[18] ちなみに、ナンシー・ペロシの酩酊チープフェイクが拡散されたのは、このひと月前で、速やかにその動画を削除しなかったことが問題になった。インスタグラムに、偽ザッカーバーグが投稿されたことを、彼自身はどう思ったのだろうか。

この出来事から、ディープフェイクとSNSの関係についていくつかのことを考えさせられる。

私たちがディープフェイクの画像や動画を目にする場所は、ほとんどの場合SNSだ。いかにディープフェイクがリアルな偽コンテンツだとしても、それを閲覧し、共有する場がなければ、社会規模の影響が生じることはない。ツイッターやフェイスブック、インスタグラムやティックトック、ユーチューブなどのプラットフォームが、ディープフェイクの拡散と共有の「アリーナ」となる。インテグリティ研究所の報告書によると、フェイクニュースの事例が最も多かったのがフェイスブックで、フェイクニュースの増幅率が大きかったのがツイッターとティックトックだった[19]。

SNSには、みんなが目にしたものが、さらに多くの人々に見られやすくなる性質が埋め込まれている。

1つは、「エコーチェンバー（Echo Chamber）」と呼ばれる現象だ。SNSは、自分と似た価値観や興味関心を持つ人とばかりつながり、同じような情報ばかりが流通する構造ができやすい。このような、閉鎖的な情報環境をエコーチェンバーという。エコーチェンバーは様々なＳＮＳでその存在が確認されており、フェイクニュースやヘイトスピーチを拡散しやすい構造になっていることが指摘されている。[20]

もう1つは、「フィルターバブル（Filter Bubble）」と呼ばれる現象である。フィルターバブルとは、ユーザの個人情報を学習したアルゴリズムによって、その人にとって興味関心がありそうな情報ばかりがやってくる環境のことである。[21] ＳＮＳにはこのような情報のフィルターが埋め込まれており、自分と異なる意見や異なる価値観の情報を隠してしまうだけでなく、ユーザごとにパーソナライズされてしまうので、それぞれが情報の泡（バブル）に包み込まれてしまい、共通の事実に接しづらくなってしまう。

もともと情報拡散が生じやすいＳＮＳの環境にディープフェイクが投下されているので、その拡散を抑止するためには、フェイクメディアの真偽判定だけでなく、エコーチェンバーやフィルターバブルの情報環境の問題も考慮した上で、ＳＮＳプラットフォームのネットワークとしての有効な方法を考えなくてはいけない。

ディープフェイクとＳＮＳの関係に関する別の側面は、ＳＮＳが「人物データの宝庫」になっているということだ。スマホが普及したことによって、人物が映った画像や写真をＳＮＳに投稿したり、共有したりするコストは著しく下がり、したがって、ディープフェイクに使えるデータは著しく増えた。ディープフェイク技術の基礎であるディープラーニングは多くのデータを必要とするため、ＳＮＳのこの特徴はうってつけだ。

まとめると、ＳＮＳはディープフェイクとの相性が抜群で、偽コンテンツ拡散のためのアリーナであり、ＡＩの訓練データの宝庫でもある。この蜜月の仕組みを理解することが、ディープフェイクの潜在的リスクを考える上で重要になってくる。

第2章

ディープフェイクを作る

弱いAIと強いAI

ディープフェイクを可能にしたのは、ディープラーニングに代表されるＡＩの技術である。ＡＩ誕生のきっかけとなった重要な出来事が2つある。

1つ目は、英国の数学者アラン・チューリングによる、機械（コンピュータ）における知能の定義である。それは１９５０年の論文『計算する機械と知性』にさかのぼる。彼はこの論文の中で、「機械は考えることができるのか」という問いについて思考実験を行い、あるテストを提案した。

図11のように、キーボードを使って言葉を入力して、モニター越しにコミュニケーションをする状況を考える。2台のモニターの前に人間の判定者がいて、1台のモニターには人間が回答をし、もう1台は機械が回答しているとする。判定者はどちらが人間でどちらが機械かはわからない状態で、言葉で様々な質問をしながら、モニターの向こうにいるのが人間か機械かを判定する。もし、判定者が正しく判定できなかった場合、この機械は人間相当の知能を持つと見なされる。これは「チューリングテスト」として知られ、機械の知能を検討する代表的な方法となった。

図11　チューリングテストの概念図

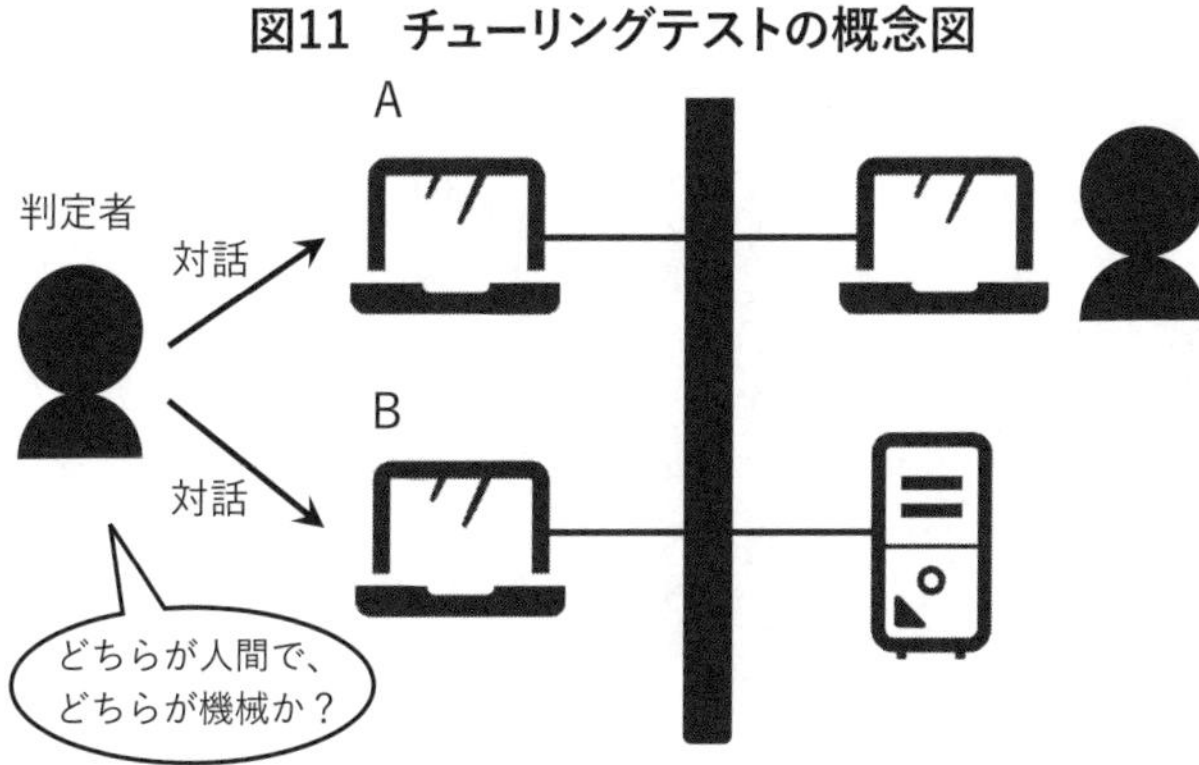

この定義のように、中身が何であろうが、知的に見える行動をするAIのことを「弱いAI」という。一方、知的に見える行動をするだけでなく、人間のような「心」を持つAIのことを「強いAI」という（「心」を明確に定義することは難しいが）。人工知能批判で有名な米国の哲学者ジョン・サールは、AIをこのように区別し、強いAIは実現不可能であると主張している。この点に関しては研究者でも意見が分かれている。

余談だが、チューリングは、「チューリングマシン」というコンピュータの概念の理論化や、キリンやシマウマのような生き物の多様な模様が自発的に形成されることを示した「チューリングパターン」の研究でも知られる。また、ドイツの暗号機「エニグマ」を解読し、第二次世界大戦の英独戦争の勝利に貢献したことでも有名だ。

コンピュータ界のノーベル賞と呼ばれる「チューリング賞」は彼の名前に由来する。後述するディープラーニング発展の貢献者3名にはチューリング賞が与えられ、チューリングからのバトンが受け継がれている。

AIの定義

AI誕生のきっかけとなった重要な出来事の2つ目は、米国の計算機科学研究者ジョン・マッカーシーらによる人工知能（AI）という言葉の定義である。1956年夏に米国ニューハンプシャー州にあるダートマス大学で開催された会議で、人間のように考える機械に対して初めて人工知能（Artificial Intelligence）という言葉が用いられ、AIという研究分野が生まれた。

この会議の発起人だったマッカーシー、情報理論を作ったクロード・シャノン、人工知能の父と呼ばれるマービン・ミンスキーなど、著名な研究者たちが一堂に会して、機械に人間のような知的な情報処理をさせるにはどのようなことが重要かについて議論し、今後取り組むべき7つの課題が提案された。

1　コンピュータの自動化（Automatic Computers）
2　日常言語を用いたコンピュータプログラミング（How Can a Computer be Programmed to Use a Language）
3　ニューラルネットワーク（Neuron Nets）
4　計算規模の理論（Theory of the Size of a Calculation）
5　自己改善（Self-Improvement）
6　抽象化（Abstractions）
7　乱雑さと創造性（Randomness and Creativity）

この会議では目覚ましい成果は生まれなかったが、ＡＩを作ることの難しさの所在が明らかになった。提案された課題のうち、「コンピュータの自動化」や「ニューラルネットワーク」などの一部は実現されたが、これらの課題の多くはいまだ研究の途上にある。今後のＡＩ研究の指針になる重要課題ばかりで、これらはＡＩの行く先を示している。この会議は後にダートマス会議と呼ばれるようになり、参加者はその後、各大学や研究所に戻り、ＡＩ研究をリードすることにつながった。

機械における知能の定義と人工知能という概念の定義、これら2つの出来事が現在のＡＩブームの基礎を作った。

ＡＩ、機械学習、ディープラーニング

人工知能（ＡＩ）、機械学習、ディープラーニングなど似たような概念が出てきて、混乱している方もいるだろう。これらのキーワードを一旦整理しておこう。ＡＩ、機械学習、ディープラーニングの包含関係を示したものが図12である。よくある誤解だが、「ＡＩ＝ディープラーニング」ではない。

まず、人間の知的行動（の一部）を機械（コンピュータ）で人工的に再現したものがＡＩである。そして、そのようなＡＩを実現するための手段の1つが機械学習である。機械学習とは、たくさんのデータから機械が自ら学習し、データの中に潜むルールや知識を発見するアルゴリズム（計算手順）のことである。

機械学習モデルと呼ぶこともあるが、この場合のモデルとは、入力データに対して結果を出力するルールを意味する。つまり、データから学習して獲得したルールの集合がモデルで

ある。

機械学習以外のやりかたでＡＩを実装することも考えられる。人間の知識や行動をルールとして書き下し、それらをもれなく機械に教えるルールベースの方法である。しかし、ルールを全て列挙して、網羅的に機械に教えることは不可能である。ＡＩの実現において機械学習が主流になっているのは、この知識獲得のボトルネックがあるためである。

図12　AI、機械学習、ディープラーニングの包含関係図

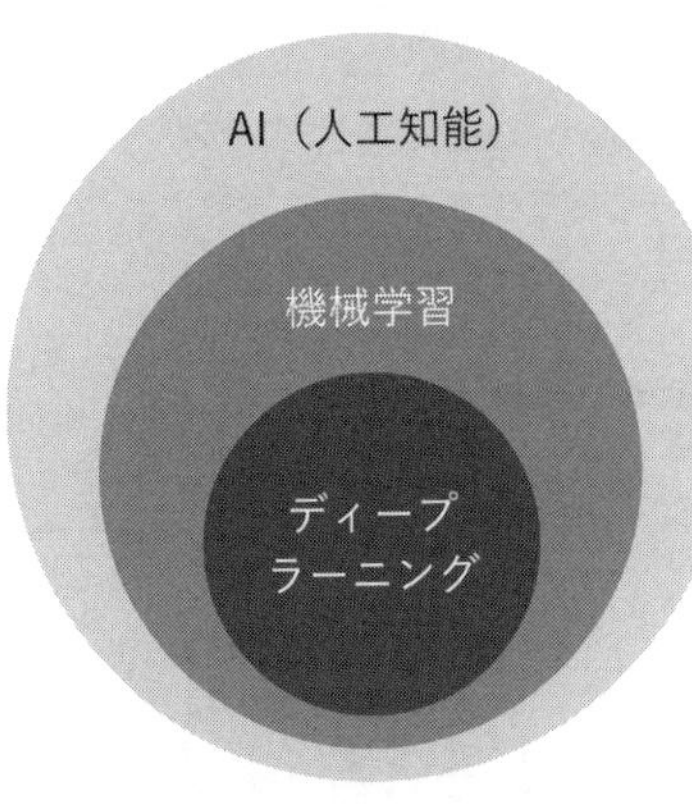

機械学習には、大別すると「教師あり学習」、「教師なし学習」、「強化学習」の３種類がある（図13）。教師あり学習は、入力データと答えのセット（訓練データまたは教師データと呼ばれる）を学習させることで、機械にデータの背後にある規則性を自動で見つけさせる方法である。学習がうまくいくと、未知のデータに関して正確に予測ができるようになる。

教師なし学習は、入力データの構造そのもの

図13　教師あり・なし学習、強化学習の特徴

	入力に関するデータ[質問]	出力に関するデータ(教師データ)[答え]	活用事例
教師あり学習	与えられる	与えられる	出力に関する回帰、分類
教師なし学習	与えられる	与えられない	入力に関するグループ分け、情報の要約
強化学習	与えられる(試行する)	正しい答え自体は与えられないが、報酬(評価)が与えられる	将棋、囲碁、ロボットの歩行学習

の特徴を理解するための手法で、データの分類や前処理に使われることが多い。強化学習は、人間より強いチェスや将棋、囲碁やテレビゲームのプレーヤーを作るので一躍有名になったアルゴリズムで、コンピュータのプレーヤーが得られる得点（報酬）を最大化するように、機械が行動を学習しているアルゴリズムである。

ＡＩの要素技術としての機械学習は、画像分類、物体検出、セグメンテーション（画像に映っている物体の種類およびその物体の境界領域を予測する手法）などの画像処理をはじめ、自然言語処理や音声認識といった分野にまで広く応用されている。

機械学習の中でも、ニューラルネットワークという、人間の脳の中にある神経回路網の情報処理を模したアルゴリズムで、それを多層にすることで性能を高めた学習手法がディープラーニングである。

図14　AI研究の歴史

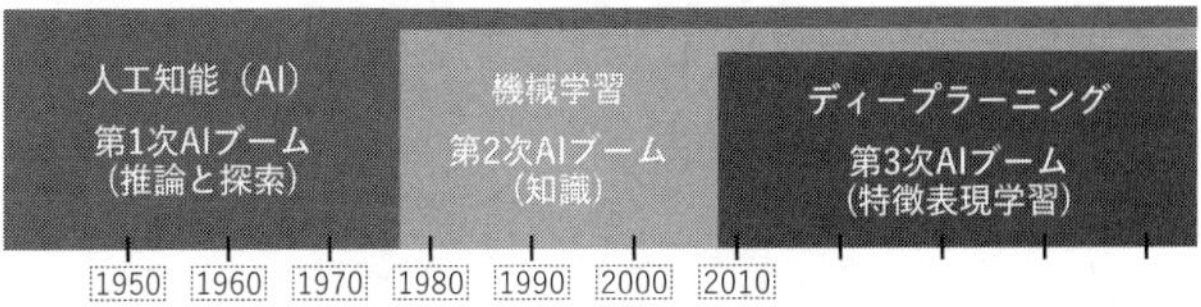

第一次ブームと第二次ブーム

ＡＩの研究は１９５０年代に登場した後、二度のブームと冬の時代を経験し、現在は第三次ブームの真っ只中にある（図14）。

第一次ＡＩブームが起こったのは１９５０年代後半から１９６０年代頃である。この時代のＡＩ研究の中心となったテーマは「探索」と「推論」である。つまり、問題の解き方をパターンごとに分類して探し、既知の知識をもとに未知の事柄を推測して答えを導くことを、機械にさせるということである。例えば、オセロなどのボードゲームは、勝利するためには盤面のどこに石を置くのがよいかを、探索と推論の繰り返しによって導き出す必要があり、ＡＩが最初にチャレンジするには格好の題材だった。

この当時は、解きたい問題を探索と推論の形式でプログラムに記述することができれば、ＡＩはそれに従って情報処理をすることができると信じられていた。しかし、この探索と推論だけでは、ＡＩは迷路や簡単なゲームのような特定の問題しか扱うことができず、現実世界の複雑な問題を解くことは不可能だということが次第に明らかになっていった。そして、研究支援が次々と打ち切られたことが原因となり、程なく第一次ＡＩブームは終焉を迎えた。

その後しばらくＡＩ研究は厳しい批判と資金難に見舞われていたが、１９８０年代になると勢いを取り戻し、第二次ＡＩブームが起こった。このときの中心テーマとなったのは「知識」だった。ＡＩが特定の問題しか扱うことができないという課題に対し、機械に知識を与えることによって、それを解決しようとした。

１９６６年にマサチューセッツ工科大学の計算機科学者ジョセフ・ワイゼンバウムが開発したイライザ（ＥＬＩＺＡ）という対話システムは、その初期の試みである。イライザは、ユーザが入力した「落ち込んでいます」などのメッセージに対して、「いつごろから落ち込んでいますか？」などの、セラピストのような応答をすることができた。ただし、「人間がＸと言ったら、Ｙと返す」というような簡単なルールベースのプログラムだったため、該当するルールがデータベースに存在しなければうまく機能せず、人間とのやりとりは限定されたものだった。

そこで、専門分野の知識を大量に与えて推論させることにより、専門家のように振る舞う機械が開発された。それが第二次ＡＩブームを象徴する存在である「エキスパートシステム」だ。有名な例として、伝染症血液疾患を診断するマイシン（ＭＹＣＩＮ）がある。実際の医療現場で実用化されることはなかったが、専門医の診断精度が80％のところマイシンは65％で、別の分野の医師よりは的確に診断できた。

しかし、こうしたエキスパートシステムには大きな課題があった。それは、入力する知識の膨大さと、それにかかるコストだ。当時の機械は、知識を自ら収集して蓄積することはできなかったため、全て人間が入力しなければならなかった。そのための知識を専門家から収集するのにも莫大なコストがかかった。また、エキスパートシステムは専門知識が求められる特定分野では精度が良かったものの、一般常識を必要とする曖昧（あいまい）な問いに答えることは苦手だった。このような知識獲得の限界から、第二次ＡＩブームは終わりを迎え、再び冬の時代に突入した。

第三次ブーム

その後、ビッグデータと呼ばれる大量データが利用可能になったこと、コンピュータのＣ

PU（中央処理装置）やGPU（画像処理用の演算装置）の性能が飛躍的に向上したこと、そして、高度な機械学習のアルゴリズムが登場したことなどの条件が整い、2010年代になると再びAIへの期待が高まった。そして、現在も続く第三次AIブームに突入した。第三次AIブームにおいて、ディープラーニングの登場は最も重要な出来事と言っても過言ではない。

2012年9月に、画像認識の世界大会イメージネット・チャレンジが開催された。そこで、トロント大学のジェフリー・ヒントン率いる研究グループが、2位以下に圧倒的な差をつけて優勝した。ヒントンのグループが開発した方法は、当時、時代遅れだと思われていたニューラルネットワークを改良し、何層ものネットワークを積み重ねることで性能を向上させた多層ニューラルネットワークだった。ヒントンらの研究成果は、ディープラーニングが注目される大きなきっかけとなった。

同年、グーグルの研究グループは、ユーチューブから無作為に抽出した1000万枚の猫の画像をコンピュータに見せ続けた結果、人間に教えられなくても（正解データがなくても）ディープラーニングによって猫の特徴を自動で学習し、まだ見たことのない画像に対しても猫かどうかを識別できるようになったと発表し、このニュースもまた世界中に衝撃を与えた。

その後、「グーグルの猫」に続けと、ディープラーニングを使った様々なＡＩが登場した。ＡＩ企業のディープマインドは、ディープラーニングと強化学習という手法を融合させて、アルファ碁（AlphaGo）というＡＩを開発し、２０１６年に初めて人間のプロ囲碁棋士相手にハンディキャップなしで勝利し、大ニュースとなった。その後もアルファ碁の後継のＡＩは、これまで常識にない手を数々打ち出し、プロ囲碁棋士を次々と打ち破っている。将棋界では、２０１７年に佐藤天彦（あまひこ）名人がＡＩソフトのポナンザ（Ponanza）と対戦し、敗北を喫した。

現在、ビッグデータを用いることでＡＩ自身が知識を獲得する機械学習が次々と実用化されている。さらに、ディープラーニングは、知識を定義する要素をＡＩが自ら習得することを可能にし、それによって画像認識や音声認識、翻訳など様々な分野で性能が向上し、現在のＡＩブームを支えている。ＡＩの第三次ブームは過去2回のブームとは異なり、様々なＡＩ技術を使ったシステムが現実世界に数多く実装され、私たちの生活を変え始めている。それはディープフェイクも然りである。

人が機械にルールや知識を与えることをやめ、機械がデータから自分で学べるようになったことで、機械の知能が実用化のレベルに達した。今のところ、再び冬の時代になる兆候は見られない。

ディープラーニングによる革新

人間の脳は多数のニューロン（神経細胞）が複雑に結合し、それぞれが分散的かつ並列的に情報を処理している。これに着想を得た（人工）ニューラルネットワークは、脳のニューロンを模した人工ニューロンが結合したネットワークとして構成される（図15）。

人工ニューロンは、入力信号に重みをつけて足し合わせ、ある閾値（いきち）を越えると発火して、他のニューロンに信号を伝える論理素子としてモデル化される。複数のニューロンの結合の仕方や重みを変化させることによって、ニューラルネットワークは様々な情報処理をすることが可能になる。このような脳のモデルによる並列分散型の情報処理モデルは、コネクショニズムまたはＰＤＰ（Parallel Distributed Processing）とも呼ばれる。

ニューラルネットの代表的な学習法には、「同時に発火したニューロン間の結合は強められる」というヘッブ則や、「ニューラルネットワークの出力と望ましい出力（正解）との誤差を小さくするように、ニューロン間の結合の重みを出力層から入力層の向きに順次更新する」誤差逆伝播法などがある。特に、誤差逆伝播法の発明によって、ニューラルネットワー

図15　ニューラルネットワークの概念図

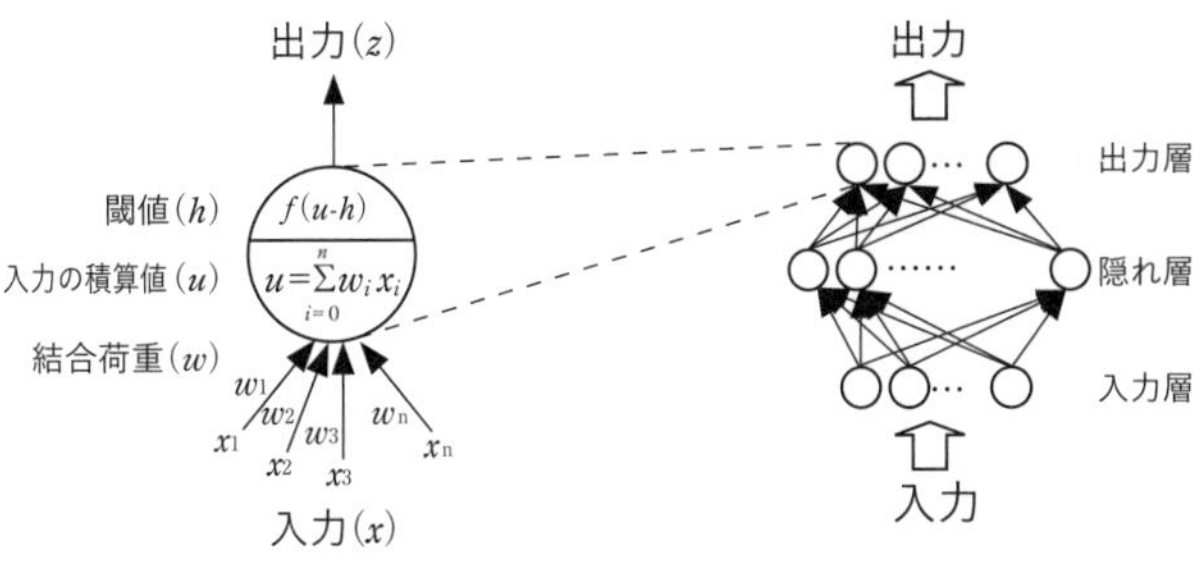

(a)人工ニューロン　　(b)ニューラルネットワーク

クの重みを効果的に変更できるようになり、知的な情報処理を行うことが可能になった。

ニューラルネットワークはAI研究の初期から存在していたが、必ずしも注目されてはいなかった。なぜならば、他の機械学習の手法と比べて性能的に劣っていたのと、理論的な解析が難しかったからである。さらに、性能を上げるためにはデータやモデルのサイズを大きくすることが必要だったが、当時のコンピュータでは扱うことが難しかったという事情もあった。

そんな状況を一変させるきっかけとなったのが、イメージネット・チャレンジで、ヒントンらが圧倒的な精度で優勝したことだった（前述）。その6年前に、これまでよりも層の数が多い（つまり、ディープな）ニューラルネットワークの学習に成功したと報告し、ヒントンはこれをディープラーニングと名付けていた。ただ、この時点ではディープラーニングは機械学習の中ではマイナーな存在だった。

その後、ヒントンに加え、ニューヨーク大学のヤン・ルカン、モントリオール大学のヨシュア・ベンジオらを中心に研究が着実に進み、そこからディープラーニングによる革新が進行した。ディープラーニングが画像認識だけでなく、音声認識、自然言語処理、化合物の活性予測など、様々な分野に応用され、従来手法の精度を大きく凌駕(りょうが)する性能を達成していった。

脳の情報処理に着想を得て始まったニューラルネットだったが、ディープラーニングの時代に突入すると、もはやニューラルネットワークは脳の真似はやめて、独自の進化をし始めた。現在でもディープラーニングがなぜうまくいくのかに関しては、まだ完全には理解されておらず、盛んに研究が続けられている。

識別するAIと生成するAI

AIが行うタスクには「生成」と「識別」の2種類がある。ディープラーニングなどの機械学習を現実問題に適用する場合、工場での外観検査AIやがんの画像診断AIなど、何かを識別する問題である場合が多い。

例えば、動物の画像のデータセットがあるとしよう。そのうちのいくつかは猫で、残りは犬の画像だとする。そして、それぞれの画像に猫か犬かラベルをつけ、画像とラベルがペアになったたくさんの訓練データを入力して、ニューラルネットワークなどのモデルを学習させる。学習がうまくいった場合、このモデルは未知の犬猫の画像データを入力すると、猫と犬の顔のパーツの特徴を手がかりに、それが猫か犬かを正しく判別できるようになる。

図16　識別モデルと生成モデル

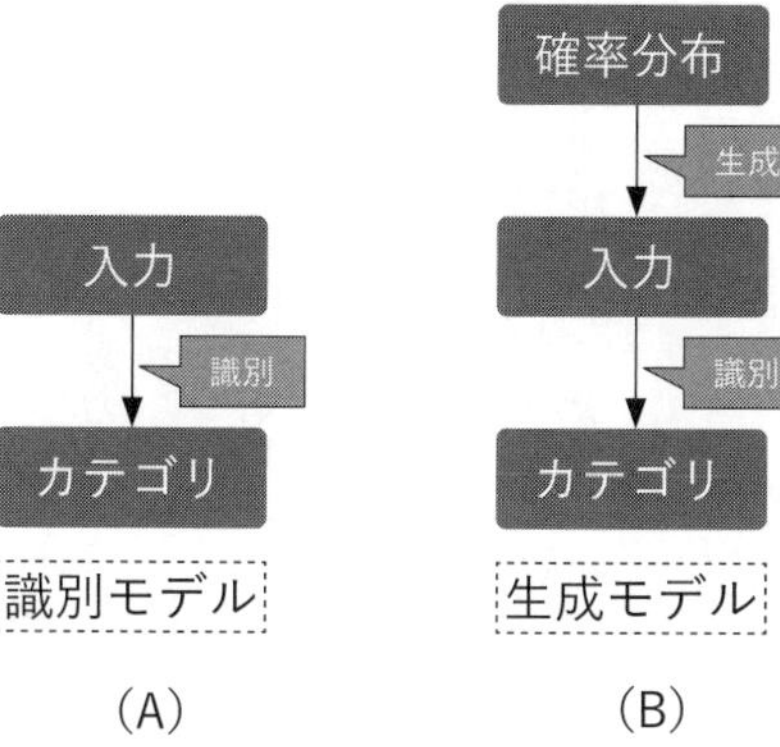

このように、入力データが与えられたときに、それをカテゴリーに分類する（あるいは、あるカテゴリーに分類される確率を推定する）モデルを「識別モデル（Discriminative Model）」という（図16A）。

一方、識別モデルとは異なり、訓練データによく似た新しいデータを生成するのが「生成モデル（Generative Model）」である。つまり、訓練データの特徴を捉えた本物のような偽物のデータを生み出すモデルである（図16B）。

猫の画像を例にとって、もう少し正確に説明しよう。生成モデルでは、「ある確率分布から生成された猫の入力画像に対して、それがどのぐらいの確率で猫のカテゴリーに分類されるか」ということを考える。このときに、猫の入力画像が従う確率分布をうまくモデル化できれば、それを用いて擬似的に入力画像に相当する猫画像を生成することができるようになる。

これまで機械学習を発展させる推進力となってきたのは識別モデルだったが、最近では生成モデルの発展が著しい。生成モデルを画像、音声、映像、文章などのコンテンツ生成に応用する研究が盛んになっている。そして、ディープフェイクに利用されるのも生成ＡＩである。

特徴を学習するオートエンコーダ

ディープラーニングのＡＩ技術を知る上で、まず重要なのが、「オートエンコーダ（Auto-encoder）」と呼ばれる機械学習モデルとその派生系だ。オートエンコーダは、入力層、出力層、そして真ん中にボトルネックの中間層がある砂時計型のニューラルネットワークで、入力データを再現するように学習が行われる。入力と出力が同じになるようにするというの

図17　オートエンコーダの概念図

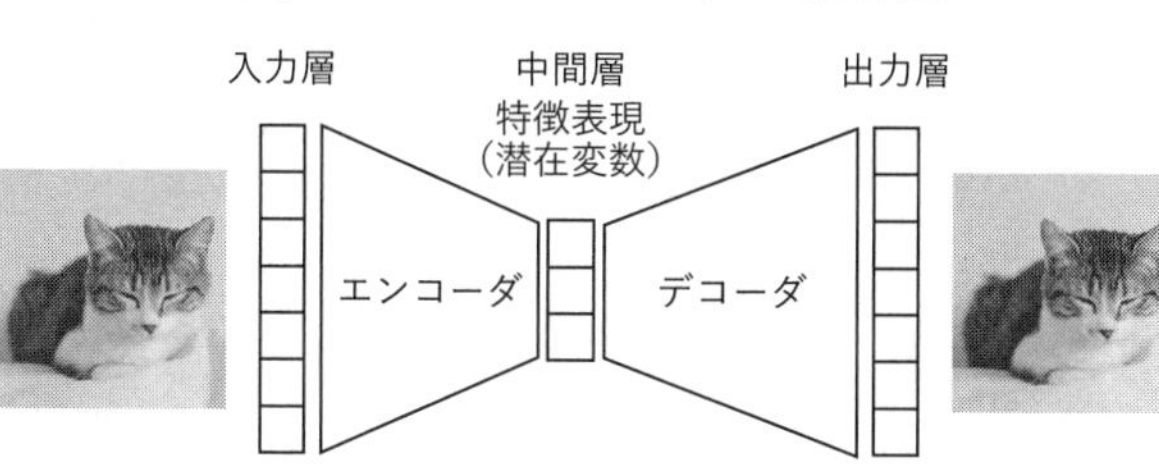

は、一見すると無意味なことのように思うかもしれない。実はこの処理は、特徴抽出をしていることに相当する。

図17のようなオートエンコーダを考えてみよう。入力層から中間層までをエンコーダ、中間層から出力層までをデコーダという。入力層の7つのニューロンで表現していた猫の画像データを、中間層の3つで表現し、出力層で入力と同じ猫の画像データを再現しなければならないとすると、高次元のデータを圧縮して、低次元の特徴表現（「潜在変数」と呼ばれる）を学習しなければならない。

例えば、猫画像の場合なら、ピクセル単位（色情報を持つ画像の最小単位）で「最初は黒、次は茶色……」というように、画像を丸ごと暗記するのではなく、「目や鼻、模様はこんな感じ」という少数の大まかな特徴を学習し、それらの組み合わせで画像を再現できるようにならないといけない。これがオートエンコーダのやっている特徴抽出である。このような少数の大まかな特徴

（つまり、潜在変数）で表現される空間を「潜在空間」という。猫画像で訓練されたオートエンコーダであれば、茶トラと三毛猫の画像データはこの潜在空間の近くに配置され、茶トラと柴犬は遠くに配置される。

このようなアイデア自体は以前からあったが、２００７年にモントリオール大学のベンジオの研究グループが、データの重要な特徴を抽出するためにオートエンコーダが利用できることを示し、その後、関連研究が進展した。

特に、２０１３年に、アムステルダム大学のディーデリック・キングマによって提案された「変分オートエンコーダ」（Variational Auto-Encoder、略してＶＡＥ）は、生成モデルの重要手法となった[22]。ＶＡＥもニューラルネットワークで構成され、図17のようなエンコーダとデコーダからなる構造をしており、潜在変数に確率分布を用いるのが大きな特徴である。

ＶＡＥによる顔画像の生成を考えてみよう。ＶＡＥのエンコーダでは、顔画像データの特徴を学習し、潜在変数を獲得する。この潜在変数は元のデータの特徴を表すような分布になっている。そして、デコーダでは、任意の潜在変数を設定することで、訓練データにはない新しい顔画像を生成することができるようになる。この点が、入力と同じものしか出力できないオートエンコーダとの大きな違いである。

VAEは、データの分類、異常検知、ノイズ除去など、様々な用途に活用されている。学習済みのVAEを用いれば、架空の人顔画像を生成することも可能だ。

GANの発明——敵対的生成ネットワークというアイデア

2014年当時、モントリオール大学の大学院生だったイアン・グッドフェローは、ニューラルネットワークを使って本物らしい写真を生成させるためにはどうしたらよいか、という問題に取り組んでいた。グッドフェローが思いついたアイデアが、「生成器（Generator）」と「識別器（Discriminator）」という2つのニューラルネットワークを競わせるというものだった。[23] 例えて言うならば、贋作を作ってだまそうとする詐欺師（生成器）と真贋を見抜こうとする鑑定士（識別器）の繰り返しの勝負といったところだ。

周囲はこのアイデアに懐疑的だったが、グッドフェローはコンピュータプログラムでこれを実装し、自分の直観が正しいことを示した。2つのニューラルネットワークが競い合うことで、より高度で本物と見分けがつかないデータを作り出すことから、このモデルは「敵対的生成ネットワーク（Generative Adversarial Networks）」、あるいは英語名の頭文字をとって「GAN」と呼ばれている。GANの発明によって、グッドフェローは一躍時の人となり、現在はグーグル傘下のＡＩ研究部門であるディープマインドで活躍している。
畳み込みニューラルネットワークの創始者の一人であり、ディープラーニングの研究でベンジオ、ヒントンらとチューリング賞を共同受賞した、ニューヨーク大学のヤン・ルカンは、ＧＡＮのことを「機械学習においてこの10年間で最も興味深いアイデア」と評している。

ＧＡＮは生成モデルの一種であり、データから特徴を自動的に学習することで、実在しないデータを生成したり、存在するデータの特徴に沿って変換したりすることができるようになる。

図18左下のように、ＧＡＮの生成器はノイズを入力して、それを変換して画像を生成する。ここでのノイズとは、情報を圧縮した潜在空間に作成されたランダムなデータのことで、生成器が絵を描くための種のようなものだ。最初に生成器から出力されるのは、全くでたらめな画像だが、生成器を学習させていくと、徐々に意味のある画像が生成されるようになり、リアルな画像を出力できるようになる。

一方図18右上のように、識別器には、本物のデータかＧＡＮが生成した偽物のデータが渡

図18　GANの概念図

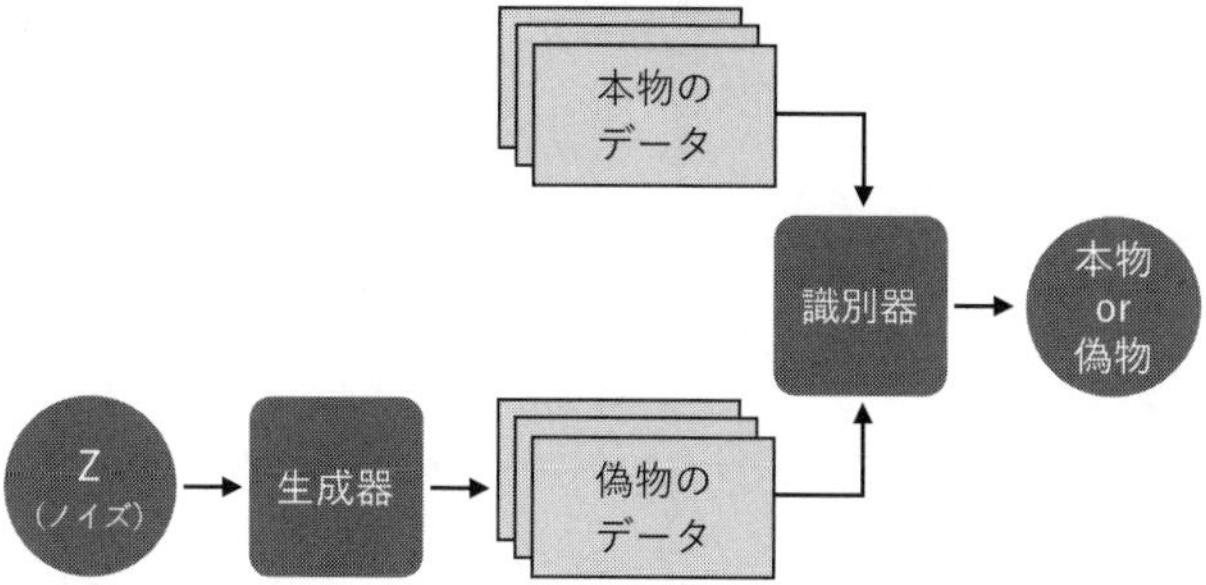

され、その画像の真贋判定が求められる。識別器にとっては、最初に生成器から出力されるのはでたらめな画像なので、本物の画像か生成された偽画像かを識別することは容易だが、生成器の学習が進むにつれてだんだん判別することが難しくなる。そのため、識別器はより高度な判別能力を身につける必要が出てくる。

　このようにして、生成器はより高度な画像生成の仕組みを獲得するように、識別器はより高度な判別能力を獲得するように、切磋琢磨しながらＧＡＮの相互学習は進行する。その結果、最終的に、ＧＡＮは本物そっくりな画像を生成することができるようになる。

　ＧＡＮの画期的な点は、訓練データを必要とせず、通常はパターン認識に用いるニューラルネットワークを２つ組み合わせることで、逆にパターン生成を実現していることだ（ただし、ラベルを使って条件付きでＧＡＮを学習することもできる）。

通常のディープラーニングであれば、この画像は猫、この画像は犬という具合にラベルづけをした訓練データを人が大量に準備して、それを用いて猫画像を識別（または生成）できるようなニューラルネットワークを学習させる。しかしＧＡＮでは、生成器がデータセットについて学習して訓練データを作成し、識別器のネットワークに本物か偽物かを判別させている。この場合、ラベルつきのデータは少量でよく、生成器のパラメータを調整するだけで、ラベルづけしていないデータによる学習を大幅に改善できる。ＧＡＮは「オリジナルの特徴を含んだデータを増やす」というやり方によって、ＶＡＥを上回るクオリティで、新しい顔画像を生成したり、低画質の画像を変換して高画質にしたり、音声を生成したりすることが可能になった。

ジョージア工科大学とグーグル・ブレインの研究者らは、ＧＡＮの学習過程を可視化するツール「ＧＡＮ　Ｌａｂ」を公開している。[24] これを体験すると、どのようにＧＡＮの学習が進み、本物に近いフェイクを生成できるようになるかを、感覚的に理解できるだろう。

ＧＡＮ動物園——低解像度の画像を高精細の画像に

ＧＡＮはシンプルな方法であるがゆえに、世界中の研究者や開発者がこぞって研究し、これまでに多様なＧＡＮの派生系が開発されている。「ＧＡＮ動物園[25]（The GAN Zoo）」というサイトには、２０１４年から２０１８年までに発表された５００種類以上のＧＡＮの派生形がまとめられている（現在は更新されていない）。

ＧＡＮの問題として、生成器と識別器のどちらか一方だけが強くなりすぎて、学習が不安定になる「モード崩壊」という現象が知られている。その結果、無意味な画像ばかり生成するようになったり、生成データの種類が偏ったりするなどの不具合が生じる。その後、畳み込みニューラルネットワーク（ＣＮＮ）で見られる畳み込み層をネットワークに適用したＤＣＧＡＮ（Deep Convolutional GAN）が登場して既知の問題点を改善し、より高品質なデータ生成と安定した学習を可能にした。

それ以降に登場した特徴的なＧＡＮの派生形を用途とともに紹介する。

１つ目の用途は、ある特徴を持つ画像から、別の特徴へ変換する「スタイル変換（Style Transfer）」である。初期のＧＡＮはノイズを入力に用いたため、どのようなデータを出力するかを制御できないという問題があった。２０１４年に発表された条件付きＧＡＮ（ＣＧ

AN）は、訓練するときに、入力として条件を指定できるようになり、それに合う画像を生成することができるようになった。

２０１７年に提案されたPix2Pixと呼ばれるGANは、内部にCGANを利用することで、言語翻訳のように画像間の特徴の変換を可能にした。例えば、線画を写真に変換したり、航空写真を地図化したり、日中の写真を夜間のシーンに変換したりなど、画像スタイル変換ができるようになった。Pix2Pixでは、入力時に変換前の画像を条件として与えている。輪郭がぴったりそろったペアの画像データが入手できる場合には有効だが、そのようなデータを入手することは一般には困難であり、実用面での問題も明らかになった。

その後に登場したCycleGANはこの点を解決し、ペアの画像が存在しないようなデータに対しても、画像スタイル変換を可能にした。CycleGANでは、データセットは形状や位置がバラバラでも問題なく、共通した特徴を持つ画像であればよい。画像間の関係を学習するため、2組の生成器と識別器に異なるスタイルのデータを学習させることに加え、変換と逆変換を一連の処理として実行して、元画像が復元できるようにモデルを訓練する。これによって、例えばウマをシマウマに変えたり（図19）、ゴッホの絵画をモネの画風にしたり、双方向に画像スタイルを変換することが可能になった。

図19　CycleGANによる画像スタイル変換の例（馬→シマウマ）

出典：https://youtu.be/D4C1dB9UheQ

　2つ目の用途は、解像度が低い画像を高精細な画像に変換する「超解像（Super-resolution）」と呼ばれる技術である。超解像に初めてGANを用いたモデルがSRGANである。高解像度の画像と低解像度の画像がペアになっているデータを用いて、モデルを訓練する。生成器は、低解像度の画像から高精細な画像を生成しようと試みる。そして、あらかじめ用意した高解像度の画像と、生成器が生成した画像を識別器に渡し、生成画像か本物か偽物かを判定させる。生成器はより本物に近い画像を出力するようになり、識別器は生成画像が本物かどうかを識別できるようになる。そして最終的には、生成器は低解像度の画像から、元の高精細な画像と見分けがつかない画像を生成できるようになる。

　GANとその派生系の技術は強力であり、様々な画像、音声、映像の生成に応用できる。GANの登場は、AIに創造性の萌芽を見た瞬間だった。しかし、それは同時に、ディープフェイクの誕生を宿命づけた瞬間でもあった。

ディープフェイクのレシピ

ここまで、ディープフェイクの要素技術となるＶＡＥやＧＡＮなどの機械学習モデルについて説明してきた。顔交換を例として、これらの手法を使ってディープフェイク画像を作る方法を見ていこう。

ディープフェイクを作成する標準的なソフトウェアやサービスでは、大まかに言うと次の４つのステップによって人物ＡとＢの顔交換を実現する（図20）。

1　顔画像の抽出
2　顔画像変換のためのモデル作成
3　顔画像の変換処理
4　後処理

ステップ１では、人物ＡとＢが写ったたくさんの画像データからそれぞれ、顔の場所と向きを特定して、顔画像を抽出する。この処理では、ディープラーニングを用いた画像認識モ

図20　ディープフェイクの技術による顔交換
（顔画像はステーブル・ディフュージョンで作成）

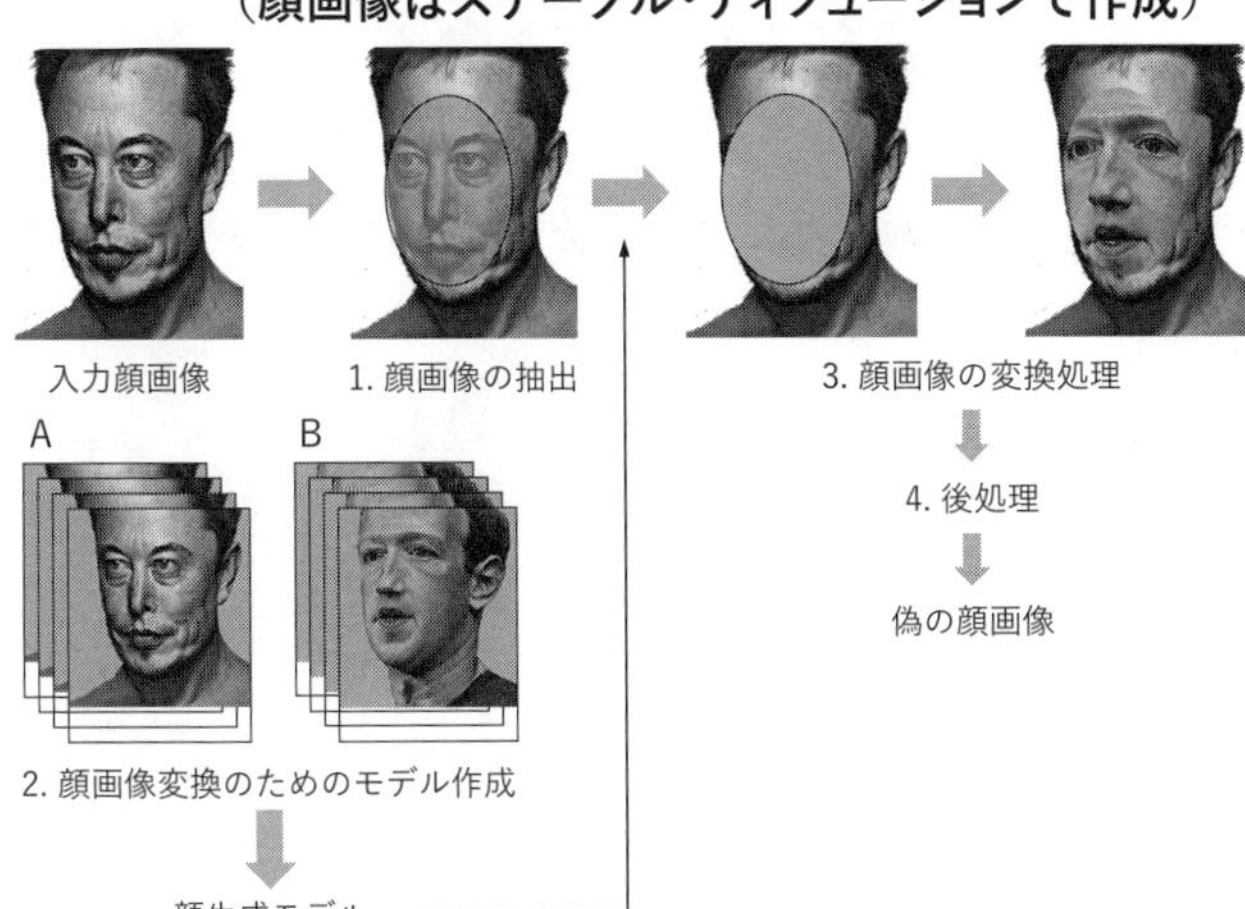

デルを利用して、画像の中から顔のランドマークとなる部位を検出し、それぞれの部位の特徴を獲得し、顔の向きや大きさを特定する。このとき、セグメンテーションと呼ばれる技術を用いて、ピクセル単位で顔部分を特定し、顔画像を抽出する。

ステップ２では、顔画像を変換するためのモデルを作成する。人物ＡとＢの顔画像のデータを訓練データとして利用し、モデルにはオートエンコーダやＧＡＮを用いて、２人の顔画像をそれぞれ生成（再現）するようなモデルを学習させる。

例えば、オートエンコーダを利用する場合、１つのエンコーダを共通で利用しつつ、２人に対応する２つのデコーダをそれぞれ用意し、人物AおよびBの顔画像をそれぞれに生成できるように学習させる。この際、エンコーダは顔画像データから顔の重要特徴を抽出して、低次元の特徴表現を獲得するため、エンコーダを共有することで、共通の特徴を内部的に獲得し、対応する顔画像を生成できるようになる。

ステップ3では、学習済みのモデルを用いて、交換対象の場所に対して、対象の顔を生成する。変換元の人物Aの顔画像から抽出した特徴をもとに、対応する変換先の人物Bの顔画像を生成し、該当する箇所に埋め込むことで、顔交換の処理が実現される。

最後にステップ4では、交換した顔のサイズの調整や背景の継ぎ目を修正したり、顔の輪郭をぼやかしたり、交換した顔の継ぎ目がスムーズになるようにするといった後処理を行い、より自然な画像になるように修正する。さらに、その出力を超解像などの技術を利用して、高精細な画像に変換する。

こうした顔交換を場合、高性能なモデルを構成するためには、交換前と交換後の人物の顔を様々な角度や照明のもとで捉えた十分な量の画像データが必要となる。また、こうした機械学習を高速に行うためには、GPUが搭載されたコンピュータが必要になる（GPUがなくてもできるが、時間がかかる）。最近は、ディープフェイクを作るアプリやツールが公開されていたり、そのような有料サービスがあったりと、顔交換の技術は身近になっている。

画像生成AI――言葉を入力すれば絵ができる

２０１７年のディープフェイクの登場以来、ＧＡＮなどの画像生成ＡＩの発展が進み、本物のような合成メディアが次々と作られるようになった。その変化はしばしば加速度的と表現されるが、２０２２年に起こった画像生成ＡＩの躍進は、これまでの変化とは一線を画すものだ。

序章でも述べた通り、この年、画像生成ＡＩのモデルやサービスが次々と発表され、言葉で「こんな画像を作って」と指示を与えると、一般ユーザでも、写真のようにリアルな画像やアート風の絵を自在に作ることが可能になった。画像生成ＡＩに与えるテキストによる指示のことを「プロンプト」という。

画像生成ＡＩの普及の口火を切ったのが、「ダリ（DALL･E）２」である。これは、イーロン・マスクなどの有力な起業家らが設立したＡＩの非営利研究団体オープンＡＩが発表したモデルだ。ＤＡＬＬ･Ｅという名前は、シュルレアリスムの画家サルバドール・ダリと、ＣＧアニメのキャラクターのウォーリー（WALL･E）に由来する。

2021年1月、オープンＡＩは最初のモデルを公開し、「アボカドの形をしたアームチェア」のようなプロンプトを入力すると、その言葉の意味に合うリアルな画像を出力するデモを発表し、世間を驚かせた。ただし、この時点では研究成果の紹介のみだった。

翌年2022年4月に発表された後継モデルのダリ2は、ウェブから収集した2・5億の画像とそのキャプション（説明文）のペアのデータセットで訓練され、解像度も4倍になり、大幅にアップデートされた。オープンＡＩの調査では、言語による指示に適切かどうかでは71・7％、画質に関しては88・8％の人が、前バージョンよりも優れていると回答している。

ダリ2は、最初は研究者やアーティストなど数百人にのみ限定公開されたが、同年7月には一般公開され、誰でも使えるようになった。一定回数は無料で使え、それ以上は有料使用のオプションがある。ダリ2で生成した画像は、商用利用も可能である。ただし、暴力や憎悪、ポルノや政治、著名人の名前など、違法または有害なコンテンツの生成に関わる可能性のキーワードはプロンプトに使用することはできない対策がとられている。

図21は、ダリ2を使って著者が生成した画像である。Ａは「Alan Turing's selfie photo（アラン・チューリングの自撮り写真）」、Ｂは「Picasso-style painting of the Last Supper（ピ

図21　ダリ2による生成画像

A

B

カソ風の「最後の晩餐」の絵画)」をそれぞれプロンプトに使った。Aのように写真に近いものから、Bのようなアート作品に近い画像まで、様々な画風のコンテンツを生成することができる。AIが作ったとはにわかには信じ難いクオリティであり、人間のような想像力すら感じる作品である。1枚作成するのにかかった時間は10秒ほどだった。

ダリ2は、すでにある画像に新たな要素を加えることも、言語による指示で実現できる。例えば、図21Aの壁のあたりを指定して、「時計」と言葉で指示をすると、違和感がないかたちで壁時計を上描きすることもできる。

画像生成AIの民主化

2022年はダリ2の他にも、テキストを画像に変換するAIモデル（text-to-image）が次々と発表された。

同年5月、グーグルは「イマジェン（Imagen）」を発表し、ダリ2よりもテキストの指示に忠実で、より写実的な画像が生成できることが話題となった。ただし、イマジェンはデモもソースコードも公開されていないため、一般ユーザが試用することはできない（2022年12月現在）。

同年7月にサービスを開始した「ミッドジャーニー（Midjourney）」は、テキストを入力するだけで「神絵」（神様が描いたかのようにうまい表現や技巧の絵やイラスト）が描けるとして話題になり、アーティストだけでなく、多くの一般ユーザに使われるようになった。ツイッターをはじめとするSNSには連日、ミッドジャーニーの生成画像が投稿され、空前のAIお絵描きブームが巻き起こった。

また、ミッドジャーニーが描いた絵がイギリスの週刊誌「エコノミスト」の2022年6月号の表紙を飾ったり、ミッドジャーニーを駆使して作られた『サイバーパンク桃太郎』というフルカラーの漫画作品も話題となった。

ミッドジャーニーは、「ディスコード（Discord）」というチャットツールを画像生成のインターフェースに使用する点が独特である。パソコンやスマートフォンのアプリから、ミッドジャーニーのディスコード・サーバーに入り、テキストで指示を与えると、画像を生成するだけでなく、それを他のユーザと共有することができる。また、ディスコード上で他のユーザが作成した神絵や使用されたプロンプトを見て参考にすることができるため、相互に学習ができる点が面白い。ミッドジャーニーには有料プランがあり、商用利用が可能なため、小説の挿絵、ゲームや漫画のキャラクターの作成など、プロ顔負けのレベルの画像を安価に作ることができる。

ダリ２とミッドジャーニーは、プロだけでなく、大勢の一般ユーザも使えるようになったことで、画像生成ＡＩの民主化が始まった。たくさんの人が多様な目的と用途に使い、試行錯誤を繰り返し、その経験や記録が改良に反映される、というフィードバック機構は、イノベーションが起こるための必要条件である。言語駆動型の画像生成ＡＩのサービス化は、ＡＩの歴史で大きな転換点となった。

ステーブル・ディフュージョンによる解放

２０２２年、画像生成ＡＩの民主化を決定づける出来事がもう１つあった。同年８月、英国のＡＩスタートアップ企業のスタビリティＡＩ（Stability AI）が、画像生成ＡＩの「ステーブル・ディフュージョン（Stable Diffusion）」をオープンソース化したのである。そして、ＡＩ技術者向けのコミュニティサイト「ハギング・フェイス（Hugging Face）」でソースコードやドキュメントだけでなく、この画像生成ＡＩを試用できるデモサイトも一般公開した。

ステーブル・ディフュージョンで生成した画像は、作成者自身が権利を持ち、ライセンスを明記すれば商用利用も可能だ。ただし、武器などの人に危害を与えるもの、誤った情報を広めるもの、法律に違反するものなどの利用は禁止されている。

図22は、著者がステーブル・ディフュージョンで生成した画像である。使用したプロンプトはそれぞれ、Ａは「物理のテストで0点をとったアインシュタイン（Einstein, who got 0 on the physics test）」、Ｂは「ＦＢＩが1月6日連邦議会議事堂襲撃を組織（FBI organized January 6 Capitol Riot）」である。どちらもなかなかのリアリティである。特に、Ｂはフェイクニュースに説得力を持たせるために使われそうな偽画像である（ただし、「ＦＢＩ」と表示されるべき箇所が「ＦＩＢ」になっている）。

ステーブル・ディフュージョンは、美しい画像のみを集めた「LAION-Aesthetics」というデータセットを用いて訓練することで、ＡＩが高品質な画像を生成できるように工夫がされている。このデータセットは、ドイツの団体がドイツの法律に基づいて、インターネット

図22　ステーブル・ディフュージョンによる生成画像

A

B

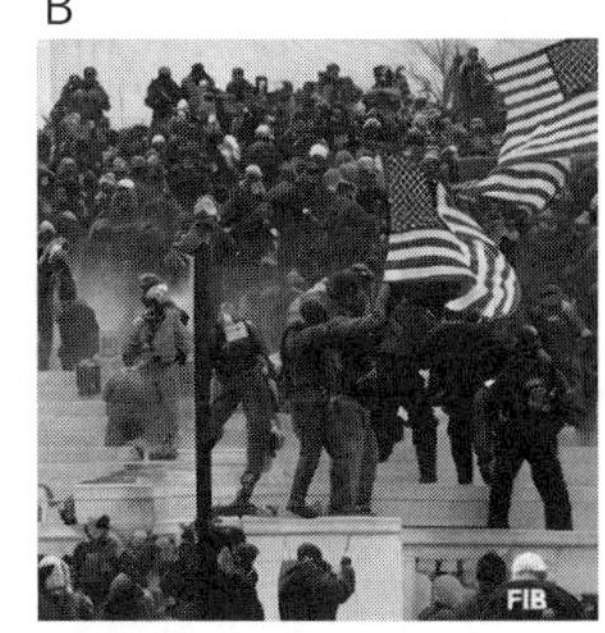

上から収集し、吟味された23億の画像データと、それらの画像を説明するキャプション（テキスト）がペアで構成されている。そして、複数のディープラーニングの方法を組み合わせることによって、入力したテキストの意味を理解し、それに合う内容の高品質画像を生成することを可能にしている。

公開3か月後の2022年11月には、早くもステーブル・ディフュージョンのバージョン2が公開され、その翌月にはマイナーアップデート版のバージョン2・1が公開されるという、異例の速さでの改良が続いている。生成画像のクオリティは著しく改善され、不適切な画像が出力されるのを除去する安全フィルターも強化された。

さらに、アニメ画像の作成に特化した「ワイフ・ディフュージョン（Waifu Diffusion）」や画像の枠外を無限に描き足すことができる「ステーブルディフュージョン・インフィニティ（Stablediffusion Infinity）」など、ステーブル・ディフュージョンから様々な新サービスが派生し、それらも盛り上がりを見せている。例えば、フェルメールの「真珠の耳飾りの少女」の絵画をステーブルディフュージョン・インフィニティに入力として与えると、その絵画には描かれていない部屋のインテリアやレイアウトを想像して描いたり、いらないオブジェを消したりすることができる。

ステーブル・ディフュージョンは、ダリ2やミッドジャーニーとは異なり、オープンソース化されたところが決定的に違う（ただし、ステーブル・ディフュージョンを高速で利用できる有料版サービスのドリームスタジオ・プロ［DreamStudio Pro］もある）。オープンソースということは、誰もが自由に無償で使用し、改変し、発展させ、新しいＡＩモデルやサービスを生み出すことができる。

ＡＩチャットボット「りんな」の開発などを行っている企業リンナ（rinna）は、日本語に特化したステーブル・ディフュージョンのモデルを開発し、２０２２年9月に無料で一般公開した。オリジナル版のモデルに日本語キャプションが付いた約１億枚の画像を見せてトレーニングし、英語にはない日本語独特の表現（例えば、「神社」や「きらきら」）などを追加で学習させたものだ。そのため、作成したい画像の特徴を日本語の文章で指示できるだけでなく、日本独特の文化を反映した画像を作ることができる。

このように、画像生成ＡＩをオープンソースにしたり、外部の開発者らに利用機会を広げたりすることで、多様なイノベーションが生まれる可能性がある。すでに、テキストから３Ｄモデルの生成を実現する「ドリーム・フュージョン（DreamFusion）」などの技術も生まれている。

拡散モデルの仕組み

ダリ2、ミッドジャーニー、ステーブル・ディフュージョンなどの現在普及している画像生成ＡＩの多くは、複数のディープラーニングの技術を組み合わせて使用している。その中でも重要なのが「拡散モデル（Diffusion Model）」である。先述のＧＡＮは、訓練の不安定性やモード崩壊などの問題点があった。拡散モデルはこれらの問題点を改善する手法の１つで、２０２２年にブームを巻き起こした画像生成ＡＩの基礎となっている。

拡散モデルの元のアイデアが提案されたのは２０１５年だが、これが広く研究されるきっかけとなったのが、2020年にカリフォルニア大学バークレー校の研究者たちが発表した「ノイズ除去拡散確率モデル」である。[26]

このモデルは、「ノイズを加えて画像を劣化させるネットワーク」と「ノイズを除去して画像を復元するネットワーク」の2つから構築されている。元画像に少しずつノイズを加えて、ノイズ混じりの画像を生成する。これを前向き過程または拡散過程と呼ぶ。その後、生成したノイズ混じりの画像から元画像を復元できるように、ニューラルネットワークを訓練する。これを逆向き過程と呼ぶ。画像データに含まれるノイズの部分を予測できるようになると、ノイズからの画像生成が可能になる。端的に言えば、「破壊転じて生成となす」というのが、拡散モデルがやっていることだ。

図23の例だと、「猫→少しノイズがのった猫→もっとノイズがのった猫→完全なノイズ」というふうに人為的にノイズを混ぜて画像を破壊していく。そして、こうして加えられたノイズを除去できるように訓練された機械学習モデルは、ノイズから出発して猫の絵が描けるようになる。

ステーブル・ディフュージョンを例として、テキストから画像生成できるようになるまで

図23　拡散モデルの概念図

ノイズを加える

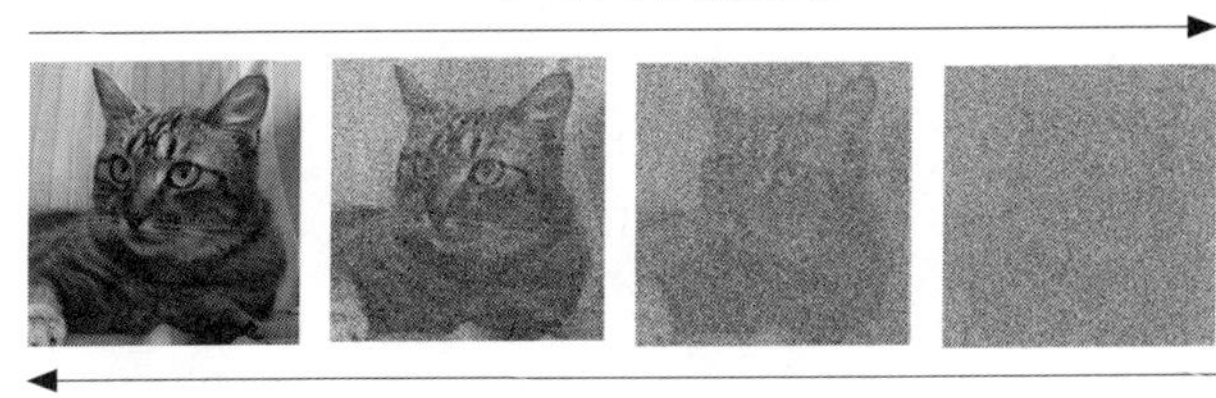

ノイズを除去する

図24　ステーブル・ディフュージョンの仕組み

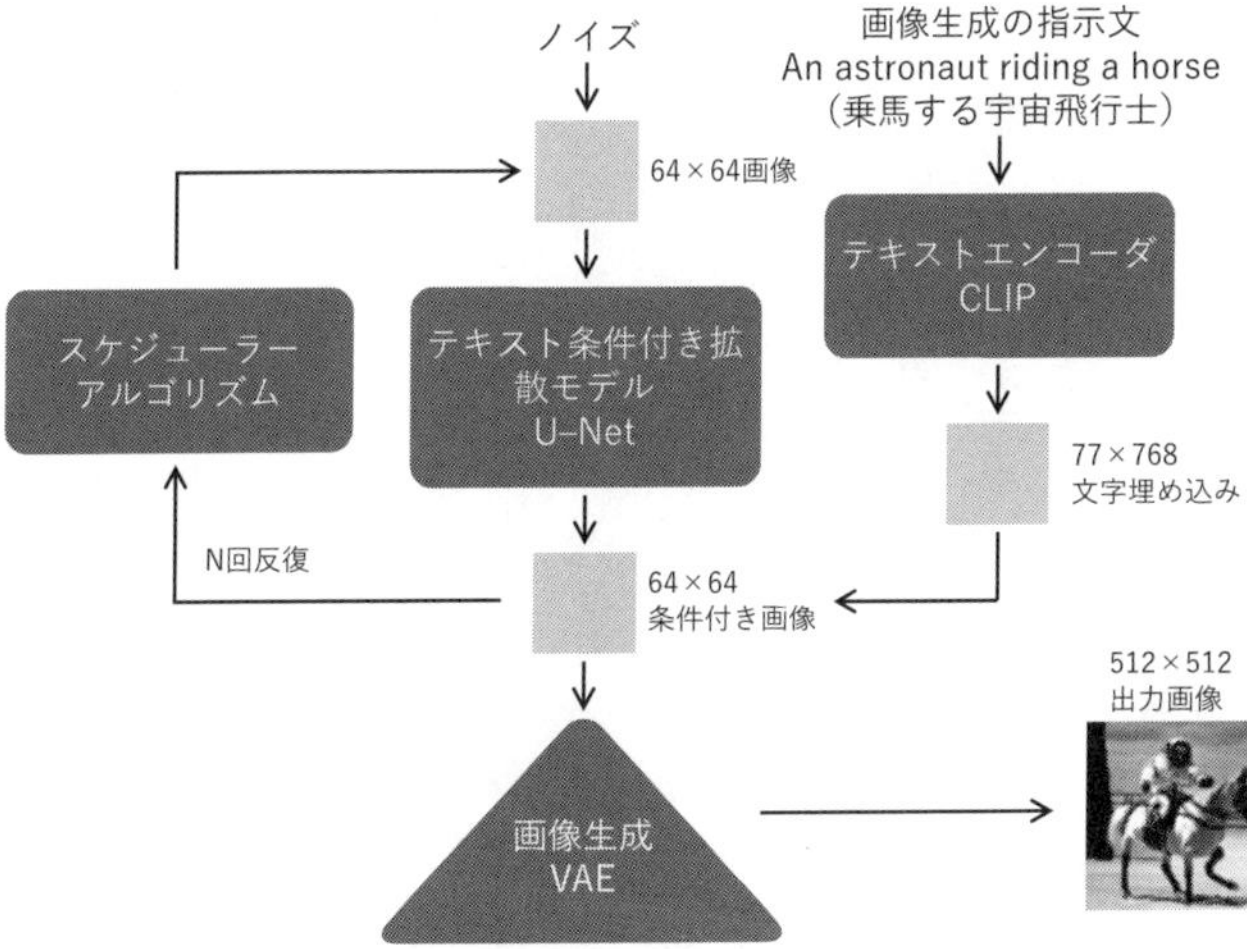

ノイズ

64×64画像

画像生成の指示文
An astronaut riding a horse
（乗馬する宇宙飛行士）

テキストエンコーダ
CLIP

スケジューラー
アルゴリズム

テキスト条件付き拡
散モデル
U-Net

77×768
文字埋め込み

N回反復

64×64
条件付き画像

512×512
出力画像

画像生成
VAE

https://huggingface.co/blog/stable_diffusion

のプロセスを見てみよう。ステーブル・ディフュージョンは、テキストエンコーダのＣＬＩＰ（Connecting Text and Images）、拡散モデルのＵ－Ｎｅｔ、画像生成モデルのＶＡＥ（変分オートエンコーダ）の３つの機械学習モデルで構成される（図24）。

まず、人間が入力したテキストによる指示文を、潜在空間における特徴表現（潜在表現）に変換する。このときに用いるのが、テキストと画像の類似関係を捉える学習済みのＣＬＩＰだ。ＣＬＩＰは、入力されたテキストと画像が意味的にどの程度類似しているかを計算し、テキスト用と画像用のエンコーダをそれぞれ使い、両者を共通の潜在表現に変換する。これによって、例えば、「cat（猫）」という言葉と猫の画像を結びつけられるようになる。

次は、拡散モデルのＵ－Ｎｅｔの学習である。ダリ2やミッドジャーニーは、先述のように、画像データにピクセル単位でノイズの付加と除去を計算する方式をとっているが、これだと知覚的に重要ではない画像の詳細をモデルが学習したり、変数の次元が大きくなって計算に時間がかかったり、大きなメモリが必要になるなどの問題がある。

そこで、ステーブル・ディフュージョンでは、画像そのものにノイズを加えるのではなく、潜在表現にノイズを加えるところが異なっている。つまり、画像そのものではなく、潜在空間に拡散モデルを適用することで、計算の軽量化や高速化を可能にしている。

ノイズを取り除く過程では、画像を入力した言葉に近づける処理をしている。例えば、潜在空間において、どうやってノイズを除去すれば入力された「cat」という言葉により近い画像ができるかを推定しながら、画像の潜在表現を少しずつ「cat」の潜在表現に近づけていく。

最後にVAEを使って、生成した画像の潜在空間における圧縮された特徴表現から、色や幅、高さからなる画像に復元し、完成された高品質な画像が出力される。ステーブル・ディフュージョンが生み出す画像の品質は、すでにGANを超えていると主張する論文もある。

ステーブル・ディフュージョンは世に解き放たれた。それは、画像生成AIの民主化の駆動力となり、それが今後のAI技術の発展と社会に及ぼす影響は計り知れない。そのことについては、第4章で改めて触れる。

第3章

ディープフェイクに備える

人はディープフェイク顔を信頼する

２０２２年、米国科学アカデミー紀要に、ディープフェイクに関する驚くべき実験結果を示す論文が掲載された。[27] マサチューーセッツ工科大学とジョンズ・ホプキンス大学の研究グループは、ＧＡＮを用いて偽の顔画像を作成し、４００人の実在の顔と４００人の偽の顔を用意して、それらを用いて複数の被験者グループで異なる条件で実験を行った。

実験１では、被験者３１５人に対して、１２８枚の画像の中からランダムに顔画像を提示し、本物か偽物を見分けるように指示をした。その結果、本物と偽物の顔の識別の成功率は約48％だった。二択であれば、当てずっぽうにやったとしても成功率は50％なので、それよりも悪い結果である。

実験２では、被験者２１９人に対して、同様に１２８枚の顔画像を本物か生成画像かを判定する課題を課したが、それぞれの試行ごとに正解か不正解かが提示された。これには、見分ける練習をさせるという意味合いがある。しかし、このような顔の見分け方を学習する機会が与えられても、ディープフェイク顔の識別能力はさほど改善されず、成功率は約59％だった。

実験3では、被験者223人は128枚の顔画像の中から信頼性の高いものを選び、1（非常に信頼できない）から7（非常に信頼できる）までの評価を行った。その結果、信頼性に関して、実在の人物の平均評価は4・48であったのに対し、ディープフェイク顔は4・82となり、後者のほうが信頼性が高いという結果となった。人は平均的な顔のほうが、より魅力的で信頼できるという説がある。訓練したGANが作り出す顔画像が平均顔に近いために、ディープフェイク顔のほうがより信頼できると感じられたのかもしれない。

以上の結果をまとめると、人はディープフェイク顔を識別することが苦手で、練習をしても大幅な識別の上達は見込めず、さらに、ディープフェイク顔をより信頼する、ということになる。

もちろん現実世界では、画像だけでなく、それが使用される文脈やその他の言語的・非言語的情報が手がかりになるので、この実験結果を過度に一般化することは禁物だ。しかし、人は自分のフェイクを見抜く能力を過信しがちなので、合成顔が悪意のある目的に使用された場合、効果的である可能性がある。このことは、ディープフェイクに備えるためにも念頭に置いておきたい。

脳はディープフェイクに気づいている

同じく2022年、シドニー大学の研究グループが、人は意識的にはディープフェイクの真贋を見分けることができなくても、無意識的にはできるかもしれないことを示す、興味深い研究結果を発表した[28]。

同研究グループは、被験者を2つのグループに分け、グループ1には、ディープフェイクの顔写真と本物の人間の顔写真を50枚用意して、本物か偽物か判定してもらった。グループ2の被験者たちには、同じデータセットの顔写真をただ見てもらい、その間の脳波を測定した。ただしグループ2には、顔写真にディープフェイクが混ざっていることは知らされていなかった。

その結果、グループ1の被験者たちの正解率は37%と低かった。でたらめに答えたとしても正解率は50%になるはずだが、それを大きく下回る結果となった。さらに、単にディープフェイク顔を見抜けなかっただけでなく、偽物の顔写真のほうを本物だと答える傾向があることがわかった。つまり、人は意識的にディープフェイク顔を見抜くことが難しく、偽物の顔にリアリティを感じてしまうということを示唆(しさ)している。ここまでは、先ほど紹介した実験と同様の結果だった。

しかし、グループ２の脳波の測定結果は意外なものだった。グループ２の被験者たちが顔写真を見ているときの脳波（ＥＥＧ）を分析したところ、本物と偽物の顔写真では、異なった脳波が観測された。これはつまり、本物と偽物の顔写真では、脳内の情報処理に違いがあるということを示唆している。

さらに、特定された脳波をもとに見積もった正解率は54％となり、正解率がでたらめに答えるよりも高い結果となった。たった４％の差と思うかもしれないが、統計学を用いて検定した結果、有意な差だということが明らかになった。これはつまり、本物と偽物が混ざっていると知らされていないにもかかわらず、被験者の脳は本物と偽物の違いに反応していたということになる。

では、なぜ脳の無意識レベルの反応と意識レベルの回答が異なってしまったのだろうか。

私たちの脳では、情報を処理する過程で様々な情報と統合され、高次の情報や記憶との照合が行われるため、本物とディープフェイクの顔画像の区別は、情報処理が進むにつれてそれが曖昧になり、答える段階ではその情報が失われてしまったのではないかと推察されている。

同研究グループは、今後、脳の持つ偽画像の検出の仕組みが解明できれば、ディープフェイクによるリスクを抑止できる可能性があると述べている。しかし、ディープフェイク技術は、本物の人間かどうかを検知する人間の無意識すらも、だましてしまうようなものに進化を遂げつつある。

不気味の谷

人工物（例えば、ロボット）の見た目や動きがより人間らしくなるにつれて、人間は人工物に対してより好感を抱くようになる。しかし、人工物がさらに人間に似ていくと、ある時点で親近感が強い嫌悪感に転じる。そして、人間と人工物が完全に見分けがつかなくなると、再び強い好感に転じ、人間と同様の親近感を覚えるようになる。これは、1970年に、日本のロボット研究者の森政弘が提唱した概念で、「不気味の谷」と呼ばれる。

それを模式的に示したのが図25である。ここには、工業用ロボットから、ヒューマノイド（人型）ロボットやぬいぐるみを経て人間まで、親近感を抱く度合いが示されている（谷底には死体とゾンビがいる）。

確かに、店舗や施設などで活躍しているロボットのペッパー（Pepper）を見ると、人間の

図25　不気味の谷

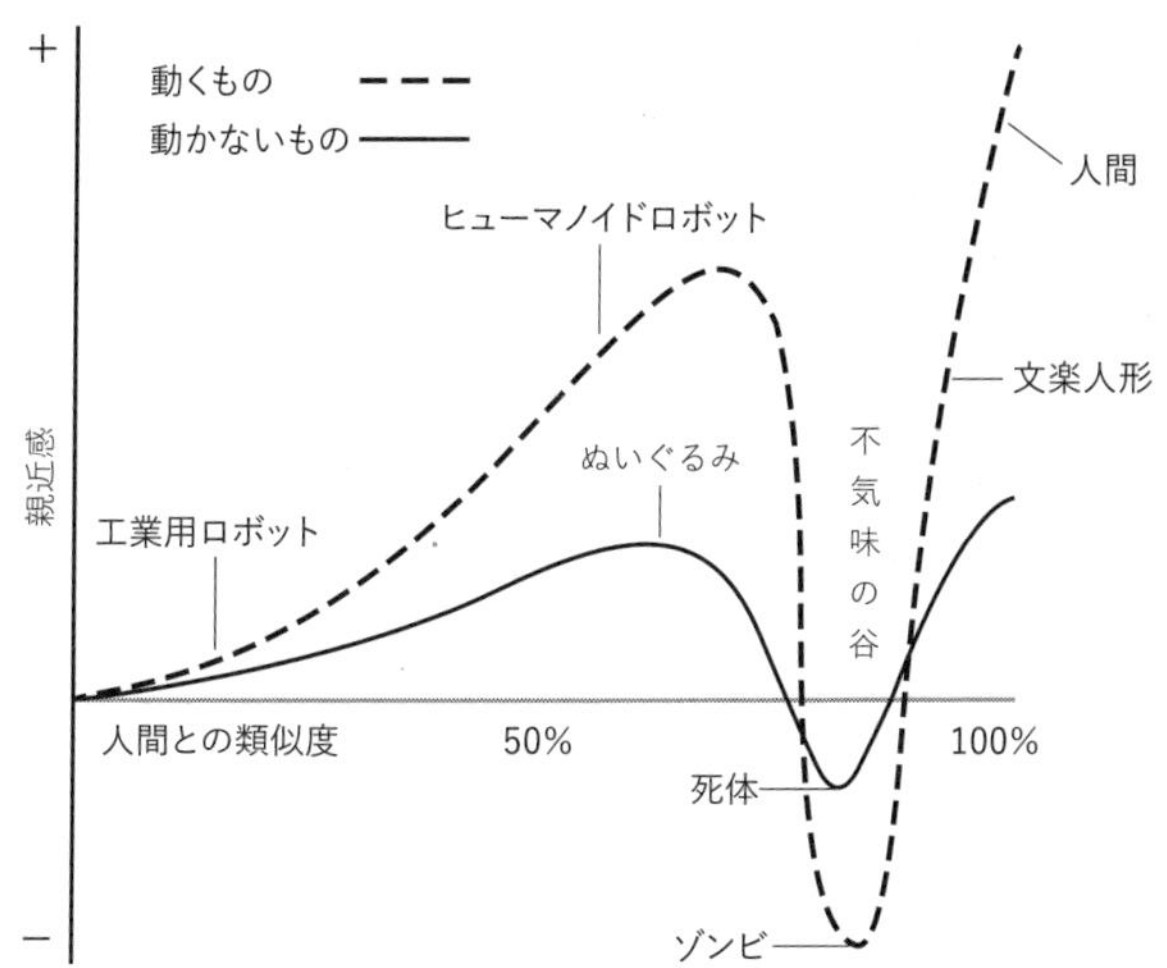

https://en.wikipedia.org/wiki/Uncanny_valleyの図（CC BY-SA 3.0）を元に改変

ような動きや話をするので親近感を覚える。一方で、見た目が人間にそっくりのアンドロイドは、微細な表情や動きが人間とは違うことに、かえって気持ちの悪さを覚えてしまう。最近では、大阪大学の石黒浩教授らが、見た目がかなり人間に近いアンドロイドを開発しているが、まだ違和感はなくならない。

２０１９年の「ＮＨＫ紅白歌合戦」で、最先端のＣＧで再現した「ＡＩ美空ひばり」が披露され、賛否両論が巻き起こったことがある。この件は、ＡＩの合成音声の出来栄えだけでなくＣＧで再現された昭和の歌姫の表情や動作に、人々がある種の気味の悪さを覚えたことと無関係ではない。「不気味の谷」はディープフェイクに対する親近性の問題とも関わる。

2015年、カリフォルニア大学サンフランシスコ校の研究グループが、「不気味の谷」に関する実験を行った[29]。同研究グループは、80体のロボットの顔写真を撮影し、それぞれのロボットの見た目がどのぐらい人間的か、そして、毎日それぞれのロボットと交流するのがどのぐらい楽しそうかについて、被験者に評価をしてもらった。さらに、親しみやすさの印象に基づき、ロボットの顔を評価してもらった。

その結果、ロボットの見た目が機械的なものから人間的なものになるにつれて、親しみやすさは上がっていくのだが、その後一旦落ち込んで、再び上昇することがわかった。つまり、図25のカーブのような「不気味の谷」が存在することが示された。

また2020年、エモリー大学の研究グループは、「不気味の谷」が引き起こされる仕組みについて興味深い仮説を検証した[30]。定説では、人間のようなロボットを見ると、人は自動的にそれを擬人化して、そのロボットが「心」を持っているという感覚が増すことで、気持ち悪いという感覚が立ち上がると考えられていた。

しかし、実際はその逆であることがわかった。人は人間にそっくりなロボットを見た瞬間に自動的にこれを擬人化するが、400ミリ秒ぐらいで違いに感づき、そのロボットを「心」を持たないものとして認知することがわかった。つまり、嫌悪感が立ち上がるのは、ロボットに心があると考える最初のステップではなく、その考えを打ち消す（脱擬人化）ためのプロセスである可能性が高い。

「不気味の谷」現象は、ディープフェイクにも当てはまるだろう。GANで誰かと誰かの顔を交換した顔画像であれ、ダリ2やステーブル・ディフュージョンでテキストから生成した顔画像であれ、ある程度リアルな合成顔画像には好感を抱くが、あるクオリティに達するとそれが嫌悪感に変わる。もし、人間が潜在的に持っている「不気味の谷」の感覚を鍛えることができれば、人間はディープフェイクを見抜けるようになる可能性がある。

しかし、本当にそんなことが可能かどうかについて、不安にさせられる現実がある。GANで生成した顔写真（53ページ図6A）を思い出してほしい。違和感や嫌悪感を全く覚えなかった方も多いのではないだろうか。ディープフェイクは「不気味の谷」を飛び越えて、真贋の判別がつかないだけでなく、より親しみを感じるようなものになってしまっている。魔法が解けないリアルな顔画像を合成する擬人化が可能になり、ＡＩ技術が「不気味の谷」を埋め立て始めている。

フェイク画像を見破る

ＡＩ技術で生成したコンテンツは、人が見抜けないほどのリアリティを手に入れた。とはいえ、全部が全部クオリティが高いわけではなく、注意して観察すれば、合成された偽物だと見抜けるものもある。

国際ニュース通信社ロイターの記事によると、ディープフェイクは一般的に人を模倣するのが得意だが、人工的に生成された多くの顔画像には、目、耳、口の周りに特徴的な不具合が残っていることがある[31]。また、服装やアクセサリーや背景など、顔以外に合成された痕跡が残っていることがある。

ディープフェイクのＡＩ技術で生成した顔画像を例に、見抜くためのコツを解説する。

まず、背景を確認してほしい。壁のタイルや継ぎ目がうねったり、背景がゆがんだり、消えたりしているように見える場合、ＧＡＮなどで合成された画像であることが疑われる。それから、洋服や装飾品などの身に着けているものも確認しよう。メガネのフレームが左右非対称になったり、イヤリングが不自然な配置になっていたり、シャツの襟におかしな折り目があったりしたら要注意だ。

次に、人物の顔を確認してほしい。ＧＡＮによって作られた口は、しばしば形が崩れて見え、歯が余っていることもある。また、額から髪の毛が生えたり、耳や首から髪の毛が飛び出したりしている。顔を照らす明るい光が、異なる角度から同時に目に当たっているように見えるのも、ＧＡＮの不具合の典型例である。

これらのコツを踏まえた上で、ディープフェイク顔を見抜くための練習をしてみよう。図26の顔画像は、どちらかが本物で、どちらかがＧＡＮで生成した偽物である。どちらの本物か当てることができるだろうか。

答えは、右が本物、左がディープフェイクだ。左の画像は、顔全体だけを見ても合成の証拠を見つけることが難しいが、襟付近の背景がおかしいことや下の歯に不自然に薄い箇所があることに気づく。それから、人物から見て服の左肩のあたりや背景にも不自然なしわがある。

この練習問題は、ワシントン大学の研究グループが開発した「どっちの顔が本物？」とい

図26　whichfaceisreal.comの顔画像

「どっちの顔が本物？」

出典：https://www.whichfaceisreal.com

うウェブサイトから採用したものである。[32] 同研究グループは、合成された顔画像と実際の顔画像を見分ける訓練に役立つよう、このウェブサイトを公開した。公開後2週間で400万回以上プレイされたという。

このサイトを訪れると、顔画像が2枚表示される。一方は本物の顔画像で、もう一方はGANで合成した偽の顔画像である。本物の顔画像は、クリエイティブ・コモンズやパブリックドメインから、肖像権の問題をクリアした顔画像を集めたFFHQというデータセットからランダムに選ばれる。偽の顔画像は、前述した「この人物は存在しない（This Person Does Not Exist）」というウェブサイトの素材からランダムに選ばれる。

数回試してみるとわかるが、ぱっと見ではどちらも本物の画像に見える。先ほどのディープフェイクを見抜くコツを意識して画像を見てみると、少し違和感を覚えるものもあるが、見分けるのは容易ではない。

これらを見抜くためのコツは、現在のGANの技術を仮定したものであり、ステーブル・ディフュージョンなどの新手法や別の方法ではどうかについては、まだあまり知見がない。そして、AI技術の発展によって、これらの不具合が改善されたディープフェイクが登場することは確実だろう。

最後に、簡単だが、ディープフェイクかもしれない画像と出会ってしまったときのノウハウとして、ぜひ実践してほしい方法を紹介する。それは、グーグル画像検索やティンアイ（TinEye）などで、画像の出典を調べるということだ。もし、ウェブ上の画像を合成して作られたディープフェイクならば、出典を見れば見抜けることも少なくない。コンテンツを調べるよりも出典を調べるほうが、作業としてははるかに簡単だ。

フェイク動画を見破る

ＡＩ技術で合成した人物動画の場合は、どのようにして見破ればよいだろうか。背景や顔のパーツの不整合性に加えて、「まばたき」や「瞳」がディープフェイク動画を見抜くヒントになるかもしれない。

現在のディープフェイクの技術では、人間が自然に発する生理信号を完全に再現することは難しい。まばたきもその1つだ。人は2〜3秒に1回まばたきをする。通常、ウェブにアップされたり、SNSに投稿されたりした写真の人物は、目を閉じていない（目を閉じた顔写真のファイルは、即ゴミ箱行きだろう）。ウェブやSNSから収集した人物画像を訓練データとして学習したAIモデルは、まばたきを知らないので、まばたきを再現できない。そのため、AIが生成した偽動画の人物は、まばたきの頻度が少なかったり、不自然になっていたりすることがある。

ニューヨーク州立大学のルー・シウェイの研究グループは、このまばたきの性質に注目して、偽動画を見抜くAIモデルを開発した[33]。このアルゴリズムは、2つのニューラルネットワークを組み合わせて使用する。まずは顔を検出し、次に動画の連続画像すべてを並べて、それぞれの目の領域を分析する。一方のニューラルネットワークが、その顔の目が閉じているかどうかを判断し、もう一方はフレームごとの判断を記憶して、その時間内にまばたきが行われたかどうかを見極める。

目が開いている画像と閉じた画像のラベルつきデータセットでこのAIモデルを訓練し、

独自の偽動画のデータセットを用いて、検出精度を検証してみたところ、ほとんどの偽動画を見破ることができた。

ちなみに同研究グループは、目の瞳に映る光を分析して、ディープフェイク顔を見破る方法も提案している。[34] ディープフェイクは大量の顔画像データを学習して作っているため、両目の瞳に映る光に一貫性がないという特徴があり、その性質を利用する。この方法はディープフェイク動画かどうかを調べる際にも有効だろう。

これまでに述べたコツを踏まえて、ディープフェイク動画を見抜くための練習をしてみよう。２０２２年3月にＳＮＳで拡散した、ウクライナのゼレンスキー大統領が、自国民に対して降伏するよう声明を発表しているような偽動画（序章を参照）は、どこに着目すればディープフェイクだと見破ることができるだろうか。

この動画を再生してみると、人物の動きが異常に少なく、同じ動きばかりをしていることに気づく。顔は周囲から浮き上がったように見える。そしてやはり、まばたきが不自然で、繰り返し再生をしているかのようである。一歩引いて見てみると、顔や首、洋服にできる影や瞳の光の映り方も一定でなく、生身の人間ではありえないほど変化がない。

まばたきや瞳は嘘をつかない。ＧＡＮなどの既存手法で生成したフェイク動画はこれからも流通する可能性があり、それを見破るための重要な手がかりになる。

メディア・フォレンジック

人がディープフェイクを見抜くことができないならば、ＡＩに真贋を判定してもらおうというのは自然な考え方だ。実際、そのような研究は以前から存在する。画像、音声、映像など、インターネット上に溢れる様々なメディアが意図的に加工されていないかどうかの検証をすることを「メディア・フォレンジック（Media Forensics）」という。

もともとフォレンジックとは、犯罪の法的な証拠を見つけるための鑑識捜査のことを指し、ここでは特に、コンピュータやデジタル媒体の中に残された証拠を調査・解析したり、データの改ざんや捏造を防止する技術などを含む、デジタル的な法科学分野のことを意味する。

２０１５年、米国防総省の国防高等研究計画局（ＤＡＲＰＡ）のメディア・フォレンジックのグループは、画像や動画が加工・編集されているかどうかを自動検出することを目標として、研究プロジェクト（MediFor）を開始した。このプロジェクトのウェブサイト[35]には、次のように記載されている。

「DARPAのMediForプログラムは、世界トップクラスの研究者を集め、画像やビデオの完全性を自動評価する技術を開発し、これらをエンドツーエンド（端から端まで）のメディア・フォレンジック・プラットフォームに統合することによって、現在操作する側に有利なデジタル画像の競争の場を公平化することを試みています。MediForプラットフォームが成功すれば、画像や映像の加工を自動的に検出し、その加工方法に関する詳細な情報を提供し、映像メディア全体の整合性を推論して、疑わしい画像や映像の使用に関する決定を容易にすることができます」

このプロジェクトにはパデュー大学、アムステルダム大学などの研究グループが参加し、唇の同期の分析、話者の不整合や矛盾の検出、シーンの不整合の検出、コマ落ちや挿入の判定など、改変された動画に存在する不整合な点を自動で検出する技術が研究され、一定の成果を上げて、2020年にプロジェクトは終了した。

2021年からは、それに続く研究プロジェクトとして「セマンティック・フォレンジック（SemaFor）」プログラムが始まり、グーグルやニューヨーク大学が参画している。SemaForの焦点は、改変されたメディアの検出に加え、帰属や特徴づけを行うことも視野に入れている。つまり、アルゴリズムによって、デジタルメディアが特定の個人や組織から発信されたものかどうかなど情報源を推測し、メディアが悪意ある目的のために生成・操作されたものかどうかを判断することを目標としている。

DARPAの主要な研究目的は軍事だが、開発された技術そのものは、メディアや公共団体などがディープフェイクに対抗するための武器にもなる。そもそもインターネットは、軍用技術が民間に転用されたものだ。ディープフェイクの対抗技術もまた、こうしたデュアルユースとして研究開発されつつある。デュアルユースとは、平和と軍事の双方の用途に使用できる技術のことである。

日本にはデュアルユースの研究に関して、防衛省による安全保障技術研究推進制度があるが、これが批判の的になることが少なくない。しかし、米国のDARPAのようなディープフェイク対抗技術の開発例があることは、知っておく必要がある。

ディープフェイク検出コンテスト

2016年の大統領選挙でフェイクニュースが拡散したことが苦い経験となった米国では、2018年の中間選挙や2020年の大統領選挙に向けたキャンペーン中に、ディープフェイク技術が悪用された偽動画が急増するのではないか、という憶測が飛びかっていた（実際には、大きな問題はなかった）。そうした政治的な偽動画は有権者に誤解を与えかねず、偽物だということが検証されたとしても、その偽動画の存在自体が信頼を損なわせ、選挙を妨害することを専門家は懸念していた。

このような背景のもと、フェイスブック社（現メタ社）はディープフェイクを検出するツールを開発することを目的として、２０１９年にディープフェイク検出チャレンジ（ＤＦＤＣ：Deepfake Detection Challenge）を立ち上げた。フェイスブックとしても、プロパガンダや選挙妨害の恐れがある偽コンテンツが自身の運営するＳＮＳに氾濫することは、事業の死活問題になる。このプロジェクトには、マイクロソフトやアマゾン、マサチューセッツ工科大学、オックスフォード大学、カリフォルニア大学バークレー校なども関わっている。

主催者らは約３５００人の俳優を雇って、素材になる動画を撮影した。この際、俳優は、性別、年齢、肌の色、民族など多様な特徴を代表するように選ばれた。そして、撮影した動画を、様々なＡＩ技術で顔交換の改変を施して、ディープフェイク動画を作成した。それぞれの動画にＡＩ技術で改変されたかどうかを示すラベルをつけ、コンテストの参加者が各自のＡＩモデルの訓練に使える動画を10万本準備し、公開した。

過去最大規模のディープフェイク動画データセットを公開した理由について、プロジェクトを率いたフェイスブックの研究マネジャーは、「最先端の研究を利用してディープフェイクを確実に検出できるかどうかは、大規模で本物に近い有用なデータセットを自由に利用できるかどうかにかかっている。そうしたリソースはなかったため、一から作成しなければならなかった」と述べている。

グーグル傘下で、機械学習のコミュニティであるカグル（Kaggle）で、DFDCコンテストが2019年10月から2020年3月まで開催された[36]。2114人が参加し、合計3万5000件のディープフェイク検出用のAIモデルが提出された。その中で、ディープフェイク検出に関して、最も優れた精度を出して優勝したAIモデルは、エンジニアのセリム・セフェルベコフが開発したものだった。

訓練データで評価した場合、セフェルベコフのAIモデルの識別成功率は80％以上だった。この数字を見ると、まずまずの識別成功率のように思える。しかし、訓練データ以外の、新たな動画データ1万本を対象としてテストすると、このAIモデルの識別成功率は65％だった。まだ実用レベルの識別精度が達成されたとは言い難い。

現在、このAIモデルはオープンソース化されており、カグルのウェブサイトでも仕組みが解説されている。日々、新手のディープフェイク手法が登場しており、公開されたこの仕組みの弱点を突くような、改ざん手法が開発されるのは確実だろう。画像や映像だけでなく、それが用いられた文脈や情報源などの情報も組み合わせて、さらに識別精度を上げる研究が必要になる。しかし、このようなディープフェイク検出の試みが、オープンなかたちで始まったことは大きな一歩である。

ディープフェイクを検出するツール

２０２０年11月に米大統領選挙を控え、ディープフェイクを用いた政治工作が多発すると予想されていた同年9月、マイクロソフトは「ビデオ・オーセンティケータ（Microsoft Video Authenticator）」というディープフェイクの検出ツールを発表した。

ビデオ・オーセンティケータは、画像や動画を分析して、メディアが改ざんされている確率や信頼度の点数を算出する。動画の場合は、再生中にフレームごとにリアルタイムで、改ざんされている確率も計算してくれる。

ビデオ・オーセンティケータの詳細は公開されていないが、大雑把には、ディープフェイク技術によって合成された映像の境界や、人間の目では判別できない微妙な変化や濃淡の違いなどを検出する仕組みになっている。このＡＩモデルは、「Face Forensic++」という公開データセットを用いて訓練され、先ほど紹介したＤＦＤＣの大規模ディープフェイク・データセットで検証されている。

マイクロソフト社は、不正に加工されたコンテンツを検出するツールを出すことで、ユーザがコンテンツの信憑性を確認できる仕組みを考えている。このサービスは、マイクロソフト・アジュール（Microsoft Azure）というクラウド・サービスに統合されており、コンテンツを作った人が、ハッシュ値（ファイルにおける指紋のようなもので、アルゴリズムでデータを同じ長さに短縮した数値）や証明書を添付でき、インターネットで公開されている間は、ハッシュ値や証明書がデータとして残るため、ユーザはコンテンツの信憑性を確認することができる。

マイクロソフト以外にも様々な企業が、ディープフェイクを検出するツールを開発している。オランダのスタートアップ企業センシティは「Forensic Deepfake Detection」というシステムを、トルコのセキュリティ企業ディープウェアは「Deepware Scanner」というアプリをそれぞれ開発している。中国最大の検索エンジンを手掛けるバイドゥも、「顔検出」

や「オンライン生体識別」などのディープフェイクを検出するツールを発表している。

２０２２年11月には、東大発ＡＩベンチャーのＮＡＢＬＡＳ株式会社が、最新の画像生成モデルであるステーブル・ディフュージョンに対応したＡＩ生成画像判別システムを発表している。また同月、世界最大の半導体メーカーのインテルが、96％の精度でディープフェイク動画を検出する技術を製品化している。同社の発表によると、数ミリ秒で判定結果を返すことができる世界初のリアルタイム・ディープフェイク検出技術だという。この技術では、人間の心臓が血液を送り出すときの静脈の色情報を顔全体から収集し、ディープラーニングを用いて、動画が本物かどうかを判別している。

大学や研究所でも、ディープフェイクを検出する技術開発が行われている。日本では、国立情報学研究所の越前功教授と山岸順一教授の研究グループが、フェイク映像を識別するＡＩ技術を次々と発表している[37、38]。公開データセットを用いた評価実験では、提案手法は95％を超える高い検出精度が得られている。

さらに同研究グループは、真贋判定だけでなく、改ざんされた部分を特定し、判断根拠を示す技術開発も行っている。２０２１年9月には、ＡＩによって生成された偽の顔映像を自動判定するシステム「シンセティック・ビジョン（SYNTHETIQ VISION）」を開発した[39]。このシステムではＡＰＩを用いて、調べたい動画ファイルのアップロードから、判定結果を示した動画ファイルのダウンロードまでを一括で行うことができる。ＡＰＩとは、アプリケーション・プログラミング・インターフェースの略で、ソフトウェアやウェブサービスの間をつなぐインターフェースのことである。ＡＰＩ化することで、顔画像の真贋判定を様々なウェブサービスに組み込むことが可能になる。ＩＴ企業サイバーエージェントが、著名人のデジタルツイン（仮想空間のコピー）を配役するサービス「デジタルツインレーベル」に導入する予定だ。

２０２２年4月には、東京大学の山崎俊彦教授の研究グループが、検出が難しい疑似フェイク画像を生成する新しい方法を提案し、この方法で生成した画像を訓練データとしてＡＩを学習させた。その結果、実在の偽画像に対しても高精度で検出を行うことが可能になり、既存研究の性能を大きく上回る、当時の世界最高性能の検出精度を達成した。[40]

現在の代表的なディープフェイク検出技術の種類をまとめたものが図27である。合成技術由来の不整合性や人の生体信号由来の特徴を調べるものが主要だが、ディープラーニングを用いるものが主要な方法になっていくだろう。

ニューヨーク州立大学の研究グループは、これまでに提案された代表的なディープフェイ

図27　ディープフェイクの検出方法

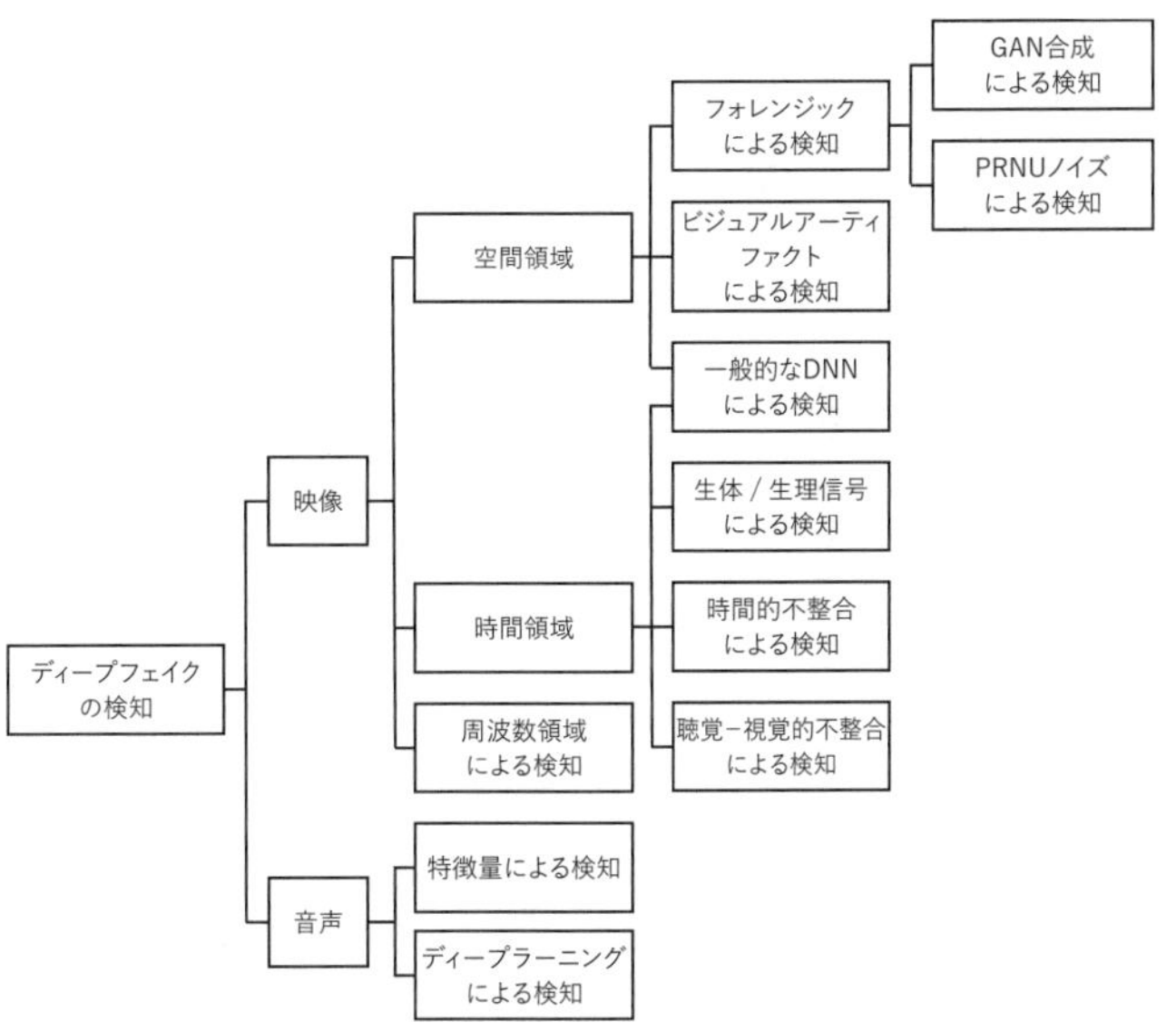

出典：Dagar, D. and Vishwakarma, D. K. (2022)を元に作成

クの検出方法を実装した「ディープフェイクオメータ（Deepfake-o-meter）」というオープンプラットフォームを公開している。[41] アップロードできる動画サイズが50MBまでなので、実用性に欠けるが、ディープフェイクの検出がどのように行われるのかを経験するにはよいだろう。

ディープフェイクを生成するAIと検出するAIの発展は、いたちごっこの様相を呈している。開発したAI技術の中身を公開することで、その技術を悪用したり、それをさらに上回る技術を作ったりする者が現れるリスクもある。こうしたＡＩ技術をどのように公開し、社会と共有していくのかは新たな課題である。

カメラをスマート化する

ＡＩ技術をもってしてもディープフェイクを見抜くことが難しいのであれば、最初から識別しやすくなるような細工をメディアに施したらどうかという発想もある。つまり、不正の痕跡がすぐにわかるように、画像、音声、映像のデータに、オリジナルであることを証明し、改変の履歴を記録する仕組みを導入するのである。こうした技術は、メディア・フォレンジックの分野で研究されている。

カメラのスマート化はその一例だ。デジタルカメラやスマートフォンのカメラに信号処理機能を内蔵し、写真を撮影するときに「電子透かし」を入れるという方法がある。つまり、人間の目では識別できないような、不正防止のための目印を特定の色波長に埋め込むのだ。ただし、撮影後にファイルを圧縮したり、明るさを調整したりするなどの処理が行われても、電子透かしが消えないようにする技術的な工夫がいる。それによって、画質は落とさずに、検出精度を向上させることが期待できる。

ニューヨーク大学のナジール・メモンの研究グループは、カメラで撮影した際に、ニューラルネットワークを活用して、画像ファイルに消せない目印をつける技術を開発している。撮影時の情報がわかれば、後でメディア・フォレンジックをする際の大きな手がかりとなる。同研究グループは、画像ファイルが編集された場合、その編集箇所を示す機能も追加した。それによって、不正操作の検知精度は従来の約45％だったものが、90％以上にまで向上したと報告している。

こうしたアイデアは、カメラ企業やメディア編集ソフトを開発しているメーカーなど、民間でも技術開発が進んでいる。日本のニコンは、デジタルカメラへの搭載を目指して、ユーザがシャッターを押した瞬間に、遅延なく来歴記録を画像のメタデータに記録する技術を開発している。一方、アドビは、そうしたデジタルカメラで撮影された画像をフォトショップで編集した際、その履歴を確認できるウェブサイトのベータ版を立ち上げた。

電子透かしの技術がデジタルカメラに標準搭載されるようになれば、撮影時や編集時につけられた印からカメラを特定したり、画像ファイルのトラッキングをしたりすることが可能になる。確認サイトには不正な使用や改変が疑われる箇所があることも表示されるので、怪しいメディアファイルには手を出さないという、ユーザの意識を高めるためにも有効だろう。

ＡＩ技術で高品質化するメディアに対して、メディア・フォレンジックによる防御だけでなく、メディア・フォレンジックしやすいように加工するという、先を見越した対策も重要である。そのためにも、デジタルコンテンツの透明性を担保するための規格の策定が望まれる。実際、アドビなどが２０１９年に設立したコンテンツ認証イニシアチブ（ＣＡＩ）では、そのような検討が始まっている。

CRESTフェイクメディア

「ディープフェイクに備える」というテーマと関連して、著者も関わっている研究プロジェクトを紹介しよう。２０２０年12月から科学技術振興機構の支援を受けて、戦略的創造研究推進事業ＣＲＥＳＴにおいて「インフォデミックを克服するソーシャル情報基盤技術」と題した研究課題に取り組んでいる[42]（略称はCREST FakeMedia）。研究代表は国立情報学研究所の越前功教授で、大阪大学の馬場口登教授（現在は福井工業大学）と著者が主たる共同研究者を務めている。

研究の全体像を示したものが図28である。このプロジェクトの目的は、ＡＩによって生成

図28　CREST FakeMediaの研究の全体像

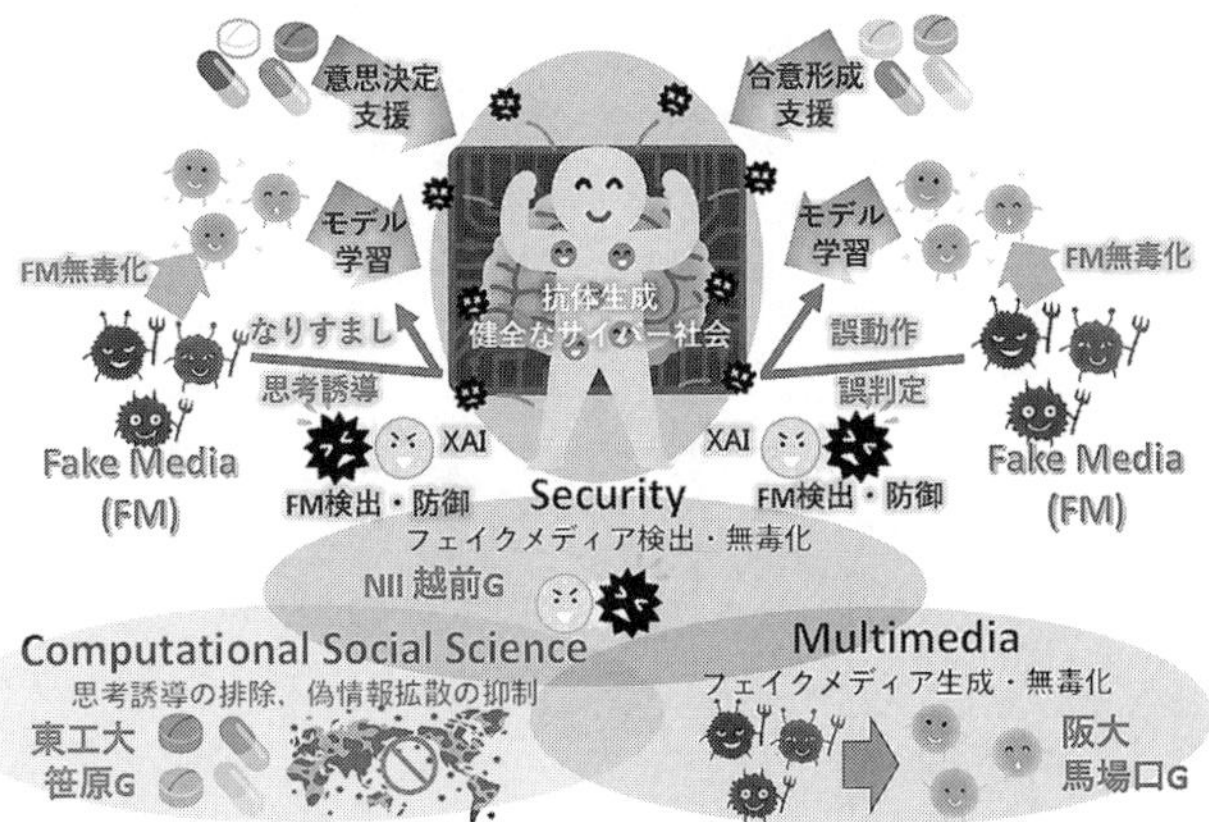

出典：http://research.nii.ac.jp/~iechizen/crest/research.html（許可を得て転載）

された高度なフェイクメディア（偽の画像、音声、映像、文章）がもたらす潜在的な脅威に適切に対処し、多様なコミュニケーションや意思決定を支援する情報技術を確立することである。

このプロジェクトでは、ＡＩにより生成されるフェイクメディアとして、次の３つの型を想定して研究を進めている。

- メディアクローン型（ＭＣ）：本物に限りなく近いが本物ではないもの
- プロパガンダ型（ＰＧ）：世論操作や印象操作を目的として意図的に編集・生成されたもの
- 敵対的サンプル（ＡＥ）：人間には識別困難だが、ＡＩを誤動作・誤判定させるもの越前グループと馬場口グループでは、ディープフェイクの問題が高度化するのに先んじて、これら3つの型に対応するフェイクメディアを生成する技術やそれらを検出する最先端技術を開発している。さらに、フェイクメディアの生成や検出だけでなく、フェイクメディアが印象操作や思考誘導に悪用されたり、AIシステムが誤動作しないようにフェイクメディアを処理した上で、通常のメディアとして活用する「無毒化」という新しいコンセプトの技術についても検討を行っている。著者の研究グループでは、これらの技術を用いて意思決定の補助情報を提示するシステムを構築し、大規模なオンライン行動実験によって検証する。

すでに多くの研究成果が論文、特許、実用的なAPIのかたちで発表されている。先述の偽の顔画像を自動判定するシンセティック・ビジョンも、本プロジェクトの研究成果の一部である。本プロジェクトは2026年3月まで、科学技術振興機構の支援を受け、越前教授を中心として多様なバックグラウンドを持った研究者が集い、ディープフェイクが引き起こす可能性のある問題に対して実行的な技術を創造し、社会実装を目指す予定である。

REALフレームワーク

ディープフェイクが存在する社会において、意思決定をする個人、ビジネスを展開する企業、ソーシャルメディアのプラットフォーム事業者、政策立案者や政治家はどのような点に着目して備えればよいだろうか。

ビクトリア大学の研究者らは、ディープフェイクのリスクを管理するための「ＲＥＡＬ」というフレームワークを提案している。[12] ＲＥＡＬは「リアル（現実）」にかけており、次の４つの具体的行動に関する英単語のそれぞれの頭文字を取っている。

- Record（記録）　オリジナルコンテンツを記録し、否定権を確保する
- Expose（摘発）　悪意のあるディープフェイクを早期摘発する
- Advocate（主張）　法的保護を主張する
- Leverage（活用）　信憑性のために信頼を活用する

１つ目は「Record（記録）」である。悪意のあるディープフェイクは実際に言っていないことを言ったようにし、やってないことをやったように捏造する。それが偽物であることを暴き、いつでも否定できるようにするためには、確固たる証拠が必要になる。

ドライブレコーダーがあおり運転の抑止に一役買ったように、私たちの行動ログを時間や場所も含めて電子的に記録するライフログ技術を使えば、こうしたデータの収集はある程度可能になる。その場合、ライフログデータのプライバシーとセキュリティが別の潜在的問題になるが。

今後、前述したデジタルカメラの電子透かしのような技術が確立し、普及することが重要になる。オリジナルのメディアデータに多数のデジタル指紋を暗号化して刻印し、ブロックチェーンの技術で記録を残すことができれば、不正操作を検出できる割合は各段に上がるだろう。ブロックチェーンとは、高い信頼性が求められる重要データのやりとりなどを可能にする分散型台帳技術のことである。

2つ目は「Expose（摘発）」である。AIを用いた検出技術を活用し、画像や映像における解像度の不整合、コンテンツの拡大縮小・回転・つなぎ合わせ、人物画像の目のまばたきのパターンなどを識別して、悪意のある偽コンテンツをできるだけ早期に摘発する必要がある。

先述のDARPAのメディア・フォレンジックのプロジェクトや著者が関わっているCRESTのプロジェクトでも、ディープフェイクの検出技術が研究されているが、そうした研究成果を実装し、誰もが使える技術にしていく必要がある。

3つ目は「Advocate（主張）」である。現在のところ、ディープフェイクの脅威に素早く対処する法的手段はほとんどなく、最新の技術的脅威を反映した法改正を提案し続ける必要がある。

ペロシ議長が酩酊したように見える偽動画が拡散した際に、「フェイスブックに投稿する情報は真実でなければならないと規定するポリシーはない」との公式見解が示されたことを序章で紹介した。ディープフェイク時代に、プラットフォーム企業の幹部によるこのような発言は懸念される。

4つ目は「Leverage（活用）」である。一言で言うと、信頼を強化するということである。例えば企業であれば、ブランドを強化し、さらにブランドと顧客の関係を強化することで、ディープフェイク攻撃を切り抜けやすくなる。強い倫理観の上に成り立っているブランドがディープフェイクで悪意を持って不利に描かれたとき、ステークホルダーが単に自分の目や耳を信じるのではなく、より批判的に自分の頭で考えるようになることが期待できる。

これら4つの原則は、ディープフェイクが存在する社会で安心・安全に情報をやりとりできるようにするための指針になるだろう。

第4章

ディープフェイクと共存する

インフォカリプスの淵

「目に見えるものが真実とは限らない。何が本当で、何が嘘か。ベートーベンは、本当に耳が聞こえなかったのか。オズワルドは、ケネディを殺したのか。アポロは、月へ行ったのか。コンフィデンスマンの世界へようこそ」

これは、2018年にフジテレビ系で放映されたドラマ、「コンフィデンスマンJP」の初回の冒頭部分のセリフである。このドラマは、ネタバレにならない程度に説明すると、コンフィデンスマン（信用詐欺師）たちが、悪徳企業のドンやマフィアのボスなどの懐（ふところ）に入り込み、あの手この手で報酬をだまし取るというストーリーだ。各回冒頭のセリフが味わい深いが、特に前述のものは考えさせられる。

これはまさに、私たちを取り巻く現在の情報環境そのものではないか。今、自分がツイッターで目にしている情報は真実なのか、あるいは誰かの嘘なのか。ティックトックでダンスしているこの人物は実在するのか、インスタグラムのセレブはＡＩが生成したものではないのか。疑い出すときりがない。

ミシガン大学のテクノロジー専門家のアビブ・オバディアは、虚偽が溢れ、あらゆる情報が信じられなくなる未来を「インフォカリプス（Infocalypse）」と表現した。「インフォメーション（情報）」と「アポカリプス（キリスト教における黙示、転じて世界の終焉を指す）」から成る造語である。不確かな情報が蔓延した未来の到来は、心配症の研究者の杞憂（きゆう）とも言い切れない状態になりつつある。

２０１６年の米国大統領選では、フェイクニュースがＳＮＳを中心として拡散し、社会を混乱させた。その中には、「ローマ法王がトランプ氏を支持」のような、広告収入が目当ての偽のニュース記事もあれば、国家ぐるみの選挙工作や情報操作にフェイクニュースが使われることもあった。「ポスト真実」という言葉が生まれ、事実を求める人々の心が揺らぎ出したのはこの頃である。

２０２０年にトランプ大統領が選挙で敗れた後も、彼を英雄に祭り上げるＱアノン陰謀論は消滅せず、「メディアが伝えない真実」なるものを追い続け、別のマイナーなＳＮＳに場所を移して、いまだに活動を続けている。また、２０２０年は新型コロナウイルス感染症（ＣＯＶＩＤ－19）のパンデミックの発生にともない、不確かな情報が国境を越えて拡散した。

日本では「お湯で新型コロナが死滅する」という間違った予防法が出回り、世界では「ビル・ゲイツが新型コロナのワクチンを人々に接種させ、監視用のマイクロチップを埋め込もうとしている」という陰謀論が登場し、ワクチン忌避や人々の不安を煽った。

そして、2022年は、ロシアによるウクライナへの軍事侵攻が始まり、SNSがプロパガンダを拡散する戦争の武器として使われている。同年3月16日には、ゼレンスキー大統領がウクライナ国民に降伏を呼びかけるディープフェイクが投稿されたことは前述した。

不確かな情報が溢れる情報過多が進行している中、ディープフェイクの登場は、事実を捻じ曲げる新たなツールが誕生したことを意味する。私たちはインフォカリプスの淵へ向かう旅路から、ディープフェイクと共存する未来へと軌道修正をする必要がある。

嘘つきの配当

「彼を知り己を知れば百戦殆からず」。ディープフェイクとの共存の道に踏み出すためには、その弊害を正しく知ることが第一歩だ。ディープフェイクがもたらす社会的弊害には大きく2つある。

1つは、真実のような偽物が溢れることである。ディープフェイクは、様々な感覚を通じて人々の現実認識を操作する手法であり、説得力があって信頼できるストーリーを生み出す。本物と見分けのつかない偽物の画像や映像が大量に出回ることで、ポルノ、詐欺、いじめ、影響工作など、様々な社会問題が生じる確率が高くなる。

もう1つは、都合の悪い真実は偽物呼ばわりされるようになることである。いつでも、誰でも、何であっても、画像、音声、映像を意のままに合成できるということにより、デジタルメディアの記録としての信憑性が希釈されてしまう。

ディープフェイクの真の怖さは、１つ目にあげた実害はもちろんだが、２つ目にあげた「嘘つきの配当（Liar's Dividend）」にあるという意見もある。嘘つきの配当とは、本物と偽物の境界が不明確な環境では、偽物を作って広める人たちが得をするというものである。あらゆるコンテンツが編集可能になり、何でもフェイクにできる世界になると、都合の悪い事実は全て「捏造されたものだ」として、否定できるようになってしまう。防犯カメラの記録でさえ、真偽が疑われてしまうのだ。

このパラドックスは、法学者のダニエル・シトロンとロバート・チェスニーが論文[43]の中で提唱し、政治アドバイザーでディープフェイクに関する著書[44]を持つニーナ・シックがこの言葉を使ったことで有名になった。

嘘つきの配当は、一般の人々がディープフェイクの存在に気づくにつれて増加し、ポスト真実の大きなトレンドと連動する。そして、「それは偽物だ」と論破しようとする努力が、かえって偽物をめぐる議論を正当化してしまう可能性がある。

ディープフェイクやディープフェイクというレッテルが溢れた社会では、根拠や証拠を積み重ねることができなくなり、議論の拠り所がなくなってしまう。それは日常生活だけでなく、民主主義の根幹にも関わる。「嘘つきの配当」を許す社会ではなく、「嘘つきの代償」を払わせられるような、ディープフェイクに関する社会の仕組みを整備する必要がある。

ユーチューブ、ティックトックの推薦アルゴリズム

ディープフェイクをどこで目にするかと言えば、多くはユーチューブ、インスタグラム、ティックトックなどの動画共有サイトだろう。世界の月間アクティブユーザ数は、ユーチューブが20億人、インスタグラムとティックトックがそれぞれ10億人となっている（2022年11月現在）。これだけ多くのユーザが利用するので、動画共有サイトにおいて、コンテンツの推薦にどのようなアルゴリズムを用い、検索結果をどのように表示するのかは、ユーザの視聴行動に大きく影響する。

ユーチューブは全世代にわたって利用率が高く、ほぼ全てのジャンルの動画をカバーしているという特徴がある。そして、ユーチューブでユーザが視聴する動画の70％が「おすすめ」のコンテンツだという推定結果がある。動画の推薦アルゴリズムに対し、ユーザが消費する情報を決めているといっても過言ではない。

強力なユーチューブの推薦アルゴリズムだが、「中毒性」と「バイアス（偏り）」という2つの問題点が指摘されている。ユーチューブを使ったことがある人ならば、おすすめされるままに動画を観てしまい、10分のつもりが、気がついたら1時間近く経過していた、などという経験をした方もいるのではないだろうか（私もその一人だ）。ユーザの過去の閲覧やクリック数、高評価などの行動履歴をもとに推薦する動画が計算される。このような動画のパーソナライゼーションは、ユーチューブへの中毒性を高め、ユーザをますますくぎ付けにし、プラットフォームでの滞在時間を延ばすことに最適化されている。

もう1つは、推薦のバイアスである。ニューヨーク大学の研究グループは、ユーチューブのおすすめに従うと、提示される動画の内容は個人の政治的思想と関係なく、やや保守的な内容に偏っていくことを示した。[45]その理由は明らかにされていないが、動画の推薦機能によって、過激な陰謀論や反ワクチンなどの特定の方向に誘導される危険性はゼロではない。

ディープフェイクを（啓蒙目的のコンテンツも含め）何度もバズらせたティックトックは、中国のバイトダンスが運営するショート動画の共有アプリだ。アプリ起動してログインすると、自分が興味を持ちそうなショート動画を次々と表示してくれる。数十秒から数分という長さの動画は、息抜きをするにはもってこいの長さだ。

自分の好みのショート動画をテンポよく消費できる感じは、次から次へとわんこそばが振る舞われている感覚に近い。ただし、わんこそばの場合は、満腹になれば自分の意思でお椀の蓋を閉じて終わりにすることができるが、ティックトックの場合はそうはいかない。

強力な推薦アルゴリズムに加えて、ティックトックのアプリは、時間要素を極力排除し、ユーザの時間感覚を鈍らせる巧妙なデザインになっている。動画の投稿日時や長さなどの時間情報をアプリ上で表示しないので、ユーザはその動画が新しいものなのか、視聴にどのぐらい時間がかかるのかを事前に知ることができない。コメントの投稿日時は表示されるが、そこからショート動画の正確な投稿日時まで推測することは難しい。ユーザはコンテンツの鮮度を知る由がないので、古い動画でも視聴することに抵抗がなくなる。一方、動画の投稿日時がないことによって、オリジナルかどうかを調べる情報が失われ、ディープフェイクの真偽判定は難しくなる。

アルゴリズムのおすすめによって延々と動画を見続けてしまう状態を、小説「不思議の国のアリス」にちなんで、「ウサギの穴（Rabbit Hole）」と表現する。ユーチューブやティックトックなどの動画共有サイトのアルゴリズムは、広告収入のために、ユーザのプラットフォームの滞在時間を最適化しているのであり、事実やバランスのとれたニュースを表示するために最適化されているわけではない。ユーザは「ウサギの穴」に落ちることで、怪しげなコンテンツやディープフェイクと遭遇する確率が結果的に高まってしまう。

人間とAIのコラボレーション

しかし、ディープフェイクは人間にとって脅威になるばかりではない。ディープフェイクとの共存から共創に話を進めよう。

ディープフェイクに用いられる技術、特に、生成ＡＩは人間の表現力を拡張し、人間とＡＩのコラボレーションによって新しい価値の創造につながることが期待できる。重要なポイントは、人間とＡＩの共創である。ＡＩが単独でできることは（現状では）限られている。

計算や記憶が得意なＡＩが、チェスや将棋で人間に勝利することがあっても、想像力や創造性が必要とされる芸術で、人間が負けることはないだろうと誰もが思っていた。そんな中、画像生成ＡＩが描いた絵がコンテストで優勝した例を紹介した（序章を参照）。ただし、正確には、ミッドジャーニーが生成した絵を下絵として、人間がフォトショップを使って丹念に修正した絵である。つまり、これは人間とＡＩの共創による作品である。

画像生成ＡＩが登場してから、プロの画家もアマチュアも、美しい画像を生成するためのプロンプトをこぞって探索した。しかし、１回のテキストによる指示だけで、イメージ通りの画像が生成されることは稀(まれ)である。何通りものプロンプトを試して、ＡＩが質の高い絵を生成するのを待つ。そして最終的には、人間が編集ソフトで調整して仕上げる。これは人間と画像生成ＡＩの共創である。

生成ＡＩが単独ではまだ不完全である典型例を示そう。「斜め上の回答だ！」として、ＳＮＳで話題になったのが画像生成ＡＩのサーモンランの絵だ。サーモンランとは鮭の遡上(そじょう)のことで、産卵のために鮭が生まれた川に戻ってくることを指す。「salmon run（鮭の遡上）」というプロンプトをステーブル・ディフュージョンに入力すると、あろうことか切り身の鮭が、勢いよく川を泳ぐシュールな絵が生成される（図29）。これは、ウェブ上にあるサーモンの写真は多くの場合、まるごとの鮭ではなく切り身であり、そのような偏りのあるデータでAIモデルが学習したことを意味する。そして、「切り身の魚が川を泳ぐというのはおかしい」という常識を、AIモデルが持ち合わせていないこともわかる（スーパーで売られている切り身のサーモンしか見たことのない人も、似たような推論をするかもしれないが）。

図29　ステーブル・ディフュージョンで生成したサーモンラン

この例は、人間とは異なるやり方でAIが知識を獲得していることや、常識の欠如から人間ではありえないような間違いをAIは犯す可能性があることを示している。

実用化されている「パッケージデザインAI」

人間と画像生成AIのコラボレーションが新たな価値を生む事例として、パッケージデザインAIを紹介しよう。

パッケージデザインAIは、1020万人の消費者調査を学習データに使い、株式会社プラグと東京大学の山崎俊彦教授の研究グループが共同研究したシステムだ。[46] 消費者がパッケージのデザインをどのように評価するかを予測する「評価AI」とデザイン生成と評価を繰り返し行う「生成AI」がある。評価AIは、10秒で結果がわかり、価格も既存のサービスよりも安価なため、パッケージのデザイン改良をするたびに効果検証を行うことができる。一方、生成AIは、デザイン生成と評価を繰り返し行い、1時間で1000のデザイン案を生み出すことができる。

パッケージデザインAIは、すでに多くの企業が導入した実績がある。味の素では、パッケージデザインAIを導入したことで、デザイン開発を低コストで短期間に行うことができ、売上も上がったという。大王製紙でも、消費者調査だと調査設計から結果分析まで1、2か月かかっていたものが、同システムの場合は数十分で評価結果が得られたという。また、消費者調査と比較してコストを大幅に抑えられるため、これまで調査を行わなかった期間限定品やマイナーなリニューアルについても調査できるようになった。

これらの例は、人間とＡＩとの共創の好例である。ＡＩは可能な表現の候補を作り、評価してある程度まで候補を絞り込むが、最終的に選択するのは人間である。素早く安価に実行できるため、この試行錯誤を複数回行うことができる。このように人間が中心となって、ＡＩシステムにおいて生成と評価と選択のサイクルが回る形式を「ヒューマン・イン・ザ・ループ（Human-in-the-loop）」と呼ぶ。このようなＡＩとの共創によって、新商品やリニューアル商品の売上の向上や、商品開発やブランドマネジャーやデザイナーの業務効率化につながる。

アート作品から文章、プログラムのコードまで、生成ＡＩが自動で作れる時代になってきた。しかし最後の評価をし、選択するのは人間だ。ＡＩはきっかけを作るにすぎない。そこが人間に残された創造性になるのかもしれない。

画像生成ＡＩは人の職を奪うのか

画像生成ＡＩが安くて高品質の画像や映像を生成できるようになると、イラストレーターやアーティストは仕事を奪われることになるのだろうか。新種のＡＩが登場するたびに、この手の質問が繰り返し問われてきた。有識者の答えは、「ＡＩは雇用を奪うのではなく、人間の能力を拡張し、新たな仕事を生む」というものである。

画像生成ＡＩの場合も同様である。人間と画像生成ＡＩの共創が当たり前のようになると、イラストレーターやアーティストが不要になるというより、仕事の内容が変遷し、新しい創造性が必要な職が生まれる。ＡＩは人間の表現を奪うのでなく、表現の可能性を広げるのである。

すでに新たな仕事も生まれている。画像生成ＡＩが芸術性の高い絵を生成できるようなプロンプト（テキストによる命令）を見つける作業を、「プロンプト・エンジニアリング」といい、それを専門とする職業も生まれた。いわば、人間がＡＩの思考の手助けをする仕事と言える。生成ＡＩの仕組みに関する知識も必要だし、その上で生成ＡＩが期待通りに作動するような言葉を見つける言語力も必要だし、生成ＡＩが生み出したコンテンツが優れたものかどうかを評価できる審美眼も求められる。

画像生成ＡＩを使ってテキストから「神絵」を作るユーザも現れ、ＡＩ絵師などと呼ばれている。プロンプトを魔法のように操り、画像生成ＡＩを絵筆のように使って、商品性の高い絵やイラストを作成することを、職業として行う人も現れている。ＡＩ絵師もまた、人間と画像生成ＡＩとの共創のスキルが求められる仕事である。ＡＩを活用した創作活動は新たな職業である。

別の流れとしては、人間と画像生成ＡＩが共創した作品を認めるプラットフォームも出てきている。アドビ・ストックは、クリエイターが作成した２億点以上の高品質の写真、画像、イラストなどの素材を提供するサービスである。人物や風景といった定番のカテゴリーから、宗教・文化といった抽象的なカテゴリーまで、多様なジャンルの素材が用意されている。使用したい素材のライセンスを購入すれば、印刷物、プレゼンテーション、ウェブサイト、ＳＮＳ、放送などに使用することができる。

２０２２年12月、アドビは、ダリ２やステーブル・ディフュージョンといった画像生成ＡＩを使って作られたクリエイターの作品も、他の作品と同じ条件で受け付けるようにした。ただし、画像生成ＡＩを使用したことを表示することは要求している。

また万が一、法的な問題が発生した場合には、ストックの購入者に補償するとしている。画像生成ＡＩの学習に使用された人々の作品が、そのシステムや生成された作品に対して法的権利を有するかどうかなど、画像生成ＡＩに関する多くの未解決の問題があることを考えると重要なことである。

同様のサービスは他にもあるが、それぞれ対応が分かれている。ゲッティ・イメージズは、同年9月、法的リスクを理由に、画像生成ＡＩを使用した作品を受け入れないという意向を示した。一方、画像・写真・イラストだけでなく、動画や音楽も含む4億点の素材を扱うシャッターストックは、２０２２年10月にオープンＡＩのダリ2を用いた画像生成機能の提供を始めている。そして、生成ＡＩの学習に使われた元素材を作成したアーティストに対して、報酬を提供する仕組みを整えると発表している。

画像生成ＡＩは美しい画像を描くことができるが、それはアーティストが描いた無数の画像データに基づいて訓練されている。しかし、元の絵を描いたアーティストはその対価を受け取っていない。報酬の仕組みができるのは大きな進展だ。それによって画像素材が集まりやすくなり、アーティストにとっても、サービスにとってもウィンウィンの関係が築ける。

チャットGPT曰く

Q：ディープフェイクとは何ですか？

A：ディープフェイクは、人工知能を用いて生成された偽の動画や音声などを指す用語です。このようなフェイクのコンテンツは、人工知能の技術が進歩するにつれて、高度にリアルに見えるようになっています。しかし、これらのフェイクのコンテンツは本物と区別がつかないため、問題がある場合もあります。そのため、現在では、このようなフェイクのコンテンツを検出する技術も開発されています。

Q：ディープフェイクのメリットは？

A：ディープフェイクのメリットとしては、映画やテレビ番組などのエンターテインメント産業での使用が挙げられます。人工知能を使用することで、高度にリアルな特殊効果を作成することが可能になります。これにより、よりリアルで迫力ある映像を作ることができるため、エンターテインメント産業での活用が期待されています。

Q：ディープフェイクのデメリットは？

A：ディープフェイクの技術が進歩するにつれて、フェイクのコンテンツが高度にリアルに見えるようになりますが、これにより、本物と区別がつかないフェイクのコンテンツが作成される可能性があります。これは、ニュースや情報の真偽が曖昧になり、混乱を招く可能性があります。また、個人プライバシーを侵害する可能性もあります。このような問題があるため、現在では、このようなフェイクのコンテンツを検出する技術も開発されています。

これらの回答を読んで、文章に違和感を覚えた方は少ないのではないだろうか。実は、これらは、「チャットGPT（ChatGPT）」というAIが書いた文章である。AIが生成したとは思えないクオリティである。

チャットGPTとは、画像生成AIのダリ2を開発したオープンAIが、2022年11月に公開した、対話に特化したAIモデルおよびサービスである。英語、中国語、スペイン語、そして日本語など、複数の言語に対応している。回答のテキストの生成には、GPT（Generative Pre-trained Transformer）と呼ばれる大規模言語モデル（LLM：Large Language Model）を対話用にカスタマイズしたAIモデルを用いている（正確に言うとGPT-3・5）。「人間のフィードバックを用いた強化学習（Reinforcement Learning with Human Feedback）」という手法で、このAIモデルは訓練されている。

チャットGPTは話題になり、その知能の高さに衝撃が走った。質問によっては、的外れな回答や珍回答が返ってくることもあるが、限られた回数のやりとりであれば、チューリングテストにも合格するレベルだろう。文章生成AIの完成度もこのレベルにまで達している。

GPTはトランスフォーマー（Transformer）と呼ばれるディープラーニングの手法を用いた言語モデルの一種で、大規模なテキストデータを事前に学習しているため、わずかな調整をするだけで、文章の生成、文章の要約、質問への回答、翻訳など、様々なタスクをこなすことができるようになる。2018年に出た初代GPTのパラメータ（機械学習を制御するための設定）の数は1・1億、2019年に出たGPT－2は15億、そして2020年のGPT－3は1750億と、アップデートされるごとに大幅に増え、データの蓄積やハードウェアの発展と相まって、性能が飛躍的に向上してきている。

わずか2時間で科学論文を執筆

GPTの可能性とリスクを物語る逸話がある。スウェーデンのイエテボリ大学病院の研究者たちが、GPT－3にGPT－3自身に関する学術論文を書かせて、それを学術誌に投稿した。現在、プレプリント版は一般公開されており、誰でも読むことができる。[47]

同研究グループの作業内容をもう少し正確に言うと、ＧＰＴ－３が生成した複数の回答からベストな部分を人間が抜き出し、それらを序論、方法、結果、考察という科学論文の形式にまとめさせたのだ。しかも、この作業にかかった時間はたったの2時間という、驚異的なスピードだ（全てのデータや結果が揃っていたとしても、著者なら最低でも2か月はかかる）。

現在、この論文は査読中ということで、学術誌に採用されるかはわからない（２０２２年12月現在）。

ＡＩが科学的発見をして、筆頭著者で論文を書き、その論文が人間による査読を通って、世に出る未来はなきにしもあらずだ。そのような論文は、ＡＩにしか査読ができないものになるかもしれない。科学のツールとしての可能性が広がる一方で、想像を超えるリスクも潜んでいそうだ。

最後に、ディープフェイクが登場するＳＦ小説のあらすじをチャットＧＰＴに創作してもらったので紹介しよう。書店でこんなＳＦ小説を見つけたら、おもわず手に取ってしまいそうな内容だ。これを種として、ＳＦ作家が発想を膨らませたら、アーサー・Ｃ・クラークも脱帽の作品に昇華する可能性だってある。

Ｑ：ディープフェイクが社会を混乱させるＳＦのあらすじを考えて。

Ａ：それでは、提示いただいた条件を元に、ＳＦのあらすじを提案させていただきます。

「未来社会において、人々はデジタル世界と現実世界の境界が曖昧になっていた。そして、人工知能が支配する世界では、真実を見抜くことができなくなっていた。そんな中、主人公たちは、デジタル世界を支配する強大な人工知能を前にしながらも、真実を探し求める旅に出る。しかし、彼らが直面するのは、複雑で深い嘘と真実の境界線だった。最終的に、主人公たちは真実を突き止めることができるのか？」

このようなストーリーを想像してみました。もちろん、これはあくまでも一例ですので、ご自身でもっと詳細なストーリーを考えることもできます。

嘘つきの代償

ディープフェイクの悪用は、有名人を狙ったポルノビデオ、政治的プロパガンダ、企業を狙った詐欺などから始まったが、裁判の証拠偽造、世論誘導、商取引の偽造、軍事利用など、リスクの可能性は拡大している。また、生成AIの技術が社会に普及するにつれて、対象が一般人を狙ったものも出てきている。GANを搭載したソフトウェアやステーブル・ディフュージョンの公開サービスを使えば、素人でも簡単に人をだまし、信頼させるようなフェイクメディアを生成することができてしまう。ディープフェイク技術との共存・共創を見据えた法整備は重要な課題である。

2022年9月、静岡県が台風15号の記録的豪雨に見舞われた際、ステーブル・ディフュージョンを使って生成された画像が、「ドローンで撮影された静岡県の水害。マジで悲惨すぎる……」という言葉とともにツイッターに投稿され、問題になった（図30）。これほどリアルな画像が、たった2つのキーワードからなるプロンプトを画像生成AIに与えるだけで、1分もかからずに出力される（悪用防止のために、具体的なキーワードは伏せる）。この事件が起きたのは、ステーブル・ディフュージョンがオープンソース化された翌月のことであ

図30　画像生成AIによる偽の水害写真

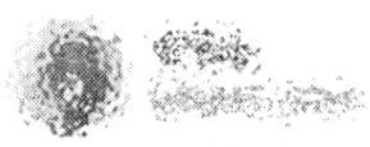

ドローンで撮影された静岡県の水害。
マジで悲惨すぎる…

午前4:39・2022年9月26日・Twitter for Android

https://twitter.com/kuron_nano/status/1574121450860007424

る。

現在の日本では、ディープフェイクを対象にした特別な法律はないため、既存の法律に照らして判断するしかない。例えば、画像生成AIによるデマ写真の投稿は、偽計業務妨害罪や、風評被害など損害があれば損害賠償責任を問われる可能性がある。

2016年の熊本地震の際、「動物園からライオンが放たれた」というデマ写真をツイートした人は、業務妨害の容疑で逮捕されている（その後不起訴処分）。デマ写真をリツイートしたり、共有したりした場合も、真実ではないと知った上で故意に行った場合は、罪に問われる可能性がある。序章で述べた通り、ディープポルノに関しては、名誉毀損罪、著作権法違反、わいせつ物頒布の罪に問われる可能性がある。

一方、欧米ではディープフェイクを対象とした法律の整備が始まっている。

米国では複数の州で、ディープフェイク技術の悪用に関する法律が成立している。例えば、カリフォルニア州では、本人の同意を得ずに悪意を持ってポルノに登場させたり、そうした画像や映像を拡散したりした場合、損害賠償を科される可能性がある。また、同州では、政治選挙の候補者の言動などを改変した動画の配布を禁じている。

ヨーロッパでは、ディープフェイクを含むＡＩに関する包括的な規制案を２０２１年に公表し、本格規制に向けた検討を始めた。英国政府は、２０２３年にオンラインセーフティ法案を改正し、ディープポルノの投稿や共有に対する取り締まりを強化することを目指している。

中国でも、「インターネットサービスにおけるディープフェイクの管理規定」が発表され、合成コンテンツに関する規制が２０２３年から導入される。インターネット上のなりすましや悪意あるフェイクコンテンツから国民を守るため、ＡＩ技術を使ってメディアを加工・編集する場合、データの元になっている画像、音声、映像の本人の同意が必要になる。この規定によって、法的または行政法規で規制されるようなディープフェイク技術の適用を禁止している。

「21世紀の石油」の問題点

データは「21世紀の石油」と言われる。ディープフェイクを生成するＡＩモデルを訓練するのにもデータが必要だ。そして、訓練データのほとんどは、インターネットから収集されたものである。そのような訓練データに関して、大きな問題が３つある。

１つ目は、データのバイアス（偏り）の問題である。インターネットから収集されたデータには、性差別、人種差別、マイノリティ差別などに関するコンテンツが含まれ、その偏見を学習したＡＩは、それらの差別を再現するようなコンテンツ（画像、映像、文章）を生み出す。

例えば、画像生成ＡＩに「野心的な社長」という言葉を入力すると、出てくるのはほとんど男性の画像だ。私が実験してみたところ、ダリ２では10枚中８枚、ステーブル・ディフュージョンは10枚中10枚が、男性の画像だった。

２つ目は、データの著作権の問題である。生成ＡＩの開発には大規模な画像データセットが必要だが、インターネットから収集されたデータには、商用利用を想定していない画像などが含まれていることもあり、それは著作権や肖像権を侵害する恐れがある。

ただし、ＡＩモデルを学習させる際に著作物を使用することは、日本を含む多くの国で原則として合法とされる。スタビリティＡＩなどの画像生成ＡＩを開発している団体も、フェアユース（著作権者から許可を得なくても、著作物を再利用できることを示した法原理）に相当するとの見解を示している。しかし、ＡＩモデルに画風やスタイルを真似されて、仕事を奪われるのではという懸念がプロのイラストレーターやアーティストから出ている。

３つ目は、データ汚染の問題である。個人や企業が生成ＡＩを使って、クオリティの高いコンテンツを簡便かつ安価に生成できるようになり、生産性が上がることはすばらしいことだ。しかし、私たちが管理できる以上の量のコンテンツを生み出すようになれば、副作用として様々な問題が生じる。

まず、インターネットやソーシャルメディアの検索で上位に表示されるものが、生成ＡＩによるコンテンツで独占され、私たちがオンラインで見聞きするものが、ほぼそれによって形作られてしまう可能性がある。さらに、生成ＡＩのコンテンツがインターネット上に溢れ、それがまた生成ＡＩの訓練に使われるという循環が起こると、ＡＩが人間・社会のバイアスを学習して、さらに偏りのある結果を出力するという連鎖によって、データのバイアスが増幅される可能性がある。

偏ったコンテンツが不適切な文脈で用いられれば、誤解や偏見、間違った意思決定につながる恐れがある。データや生成ＡＩのバイアスを修正する必要があるが、その作業を体系的に行うのは容易ではない。そして、著作権の軽視、データ汚染とバイアス増幅の問題は、情報環境の信頼性の問題に関わる。これらの問題を解決することなしに、ディープフェイクとの共存はありえない。

ディープフェイクのＡＩモデルを訓練するために、大量のデータが必要であることを述べた。余談になるが、その訓練のためにはたくさんのＧＰＵが必要であり、そのためにはたくさんの電力が必要である。例えば、ステーブル・ディフュージョンの場合、学習には15万時間（ＧＰＵが1つの場合）と約60万ドル（７８００万円）の費用がかかる見積もりだ。したがって、「21世紀の石油」を活用する過程でたくさんの二酸化炭素を排出する。ディープフェイクとの共存を考えると、これもまた無視できない問題である。

情報の環境問題

2022年の全世界のインターネット利用者は約52億人いると推定されている。全世界の総人口が約80億人なので、65％の人がオンラインで情報のやりとりができる時代が到来したのである。インターネットは世界共通のコミュニケーション技術である。

そんなインターネット上の情報環境に決定的な役割を果たしているのが、GAFAと呼ばれるIT企業である。つまり、グーグル、アップル、フェイスブック（現メタ社）、アマゾンといった企業だ（マイクロソフトを加えて、GAFAMと略すこともある）。これらの企業が作ってきたデジタル経済は、情報過多と注意散漫の上に成り立っているところがある。ユーザの利用時間とクリック数は、プラットフォーム企業の収入に関係する。そして、フェイクニュースをはじめとする不確かな情報は、このアテンション・エコノミーの脆弱性を突くかたちで拡散している。

この状況下で、人間では真贋を見抜くことが難しいディープフェイクという新たな脅威が登場した。これまで繰り返し述べてきた通り、ディープフェイクが悪意のもとに使用され、ポルノ、ネットいじめ、詐欺、政治的誤報、事実の歪曲、印象操作など、様々な社会問題が生じ、今後、悪化することが懸念されている。

この現状を抽象化して見ると、二酸化炭素の増加が地球温暖化を生み、グローバルな環境問題を引き起こしているのと相似であることに気づく。不確かな情報の増加があらゆる不信を生み、グローバルな社会問題を引き起こしている。つまり、これは情報の環境問題であり、情報の氾濫と人々のアテンション（注意力）の枯渇という「共有地の悲劇」でもある。

不確かな情報が大量に混じった情報環境において、ディープフェイクの危険を回避しつつ、その恩恵を享受するためには、どのようにしたらよいだろうか。最後に、行動介入によってスケーラブルな解決策を生み出す技術的試みを紹介する。

２０２２年11月、グーグルのシンクタンクであるジグソー（Jigsaw）が、ＳＮＳなどのプラットフォームで、不確かなコンテンツによる被害を抑止・軽減するための行動介入の方法を紹介したウェブサイト「情報介入（Info Interventions）」を公開した[48]。いずれの方法も学術研究による根拠があり、プラットフォームのレベルでの効果が確認されたものだ。

このウェブサイトでは４つの方法が紹介されており、これらはディープフェイクにだまされにくくし、共有を抑制するのに効果を発揮することが期待できる。

- **正確性のプロンプト（Accuracy Prompts）**：ユーザの注意を正確さに引き戻す虚偽の可能性のあるコンテンツに出会ったときに、ユーザに対してコンテンツの正確性に注意を向けさせると、虚偽のコンテンツを共有する確率が減少する。
- **リダイレクト方式（Redirect Method）**：オンラインでの過激化を阻止広告表示を利用して、過激派の情報を探しているユーザを、過激派の勧誘メッセージに反論する確認済みのコンテンツに自動転送する。
- **投稿者へのフィードバック（Authorship Feedback）**：健全な対話の促進「有害」と見なされるコメントを検出した場合、投稿者にメッセージを表示し、コメントを公開する前に表現を変更するように促す。
- **「プレバンキング（Prebunking）」**：操作に対する抵抗性の向上予防接種の仕組みを応用したもので、デマの手口や実例を事前に知っておくことで「免疫」をつけて、実際の誤情報に出会ったときに、信じたり、拡散したりしないようにする。

レジリエントな情報生態系

情報の環境問題を改善するもう1つの試みは、多様なつながりを創るというものである。

ユーザが自分の意思で多様なつながりを持続することができれば、原理的には多様な意見が存在する情報環境になる。しかし、ユーザがそれを自分の心がけだけで続けるのは困難だろう。そこで、アルゴリズムで意外なつながりを見つけて、そのつながりが促進されるようにユーザにマイルドに介入する」という技術を活用するやり方が考えられる。

これは「ナッジ（Nudge）」と呼ばれる手法の一種である。ナッジとは行動経済学でしばしば用いられる手法で、ユーザに選択の余地を残しながら、自発的に特定の行動を選択するよう促す仕掛けのことだ。

著者の研究グループは、「ポリフォニー（Polyphony）」という実験用のＳＮＳを作り、この提案原理を実装した[49]。最大の特徴は、「似ているけどちょっと違う」意外なつながりのペアをマッチングし、新しい友人候補として「こんな人もいます」と紹介する。その際、意外なつながりのペアには良い音が鳴る。「友達になったら意外に良い人かも」というニュアンスを音で直感的に伝えて、自ら選んでフォローしたくなるような気持ちをくすぐる、というナッジである。フォローするかしないかの決定権は、あくまでも友人推薦を受けた本人にある。

ポリフォニーを２０１９年10月に公開し、２０２２年３月まで試験運用した。ポリフォニーは意外なつながりを生み、交流が生まれる瞬間が幾度となくあった。意外なつながりが生まれる確率が向上すれば、情報環境の多様性が上がり、フェイクへの耐性も高まることが期待できる。しかし、ポリフォニーという技術による「少しのお節介」が、実験の域を越えて、現実の情報環境を改善する効果がどれほどあるのかは、今後の検証を待たなければならない。

私たちの世界がインフォカリプスへ向かわぬよう、情報環境における信頼（トラスト）を取り戻す様々な試みが進行している。次世代の分散型ウェブと呼ばれる「ウェブ3」やバーチャルなサード・プレイス（家庭でも職場でもない第3の居場所）としての「メタバース」も、そうした流れの中に位置づけることができる。先述したプラットフォームでの行動介入も、対処療法的ではあるが情報環境の不確実性を減らし、デジタル世界の信頼を醸成することに寄与する。

私たちが目指したい未来は、レジリエントな情報生態系だ。「レジリエント」とは「柔軟性がある」「適応力がある」といった意味の言葉である。AIが生成したメディア（文章、画像、音声、映像）が当たり前のように流通する状況下でも、人々が創造性を発揮して社会的・経済的価値を生み、社会が停滞しにくく、フェイクによる攪乱にも短期間で回復が可能な情報環境だ。こうしたデジタル社会を構築する上で、ディープフェイクのＡＩ技術は重要な役割を果たす。ディープフェイクは使い方しだいで、現実を破壊する剣にも、現実を創造するペンにもなる。

おわりに

ディープフェイクはハリウッド級のメディア合成技術を民主化したものである。専門知識や計算資源を持たない普通の人でも、ソフトやサービスを利用すれば、ある人物を別の人物にすり替えたり、誰の声でも真似することができたり、架空人物を捏造したりすることが可能になった。現時点では不自然さが目立つものも少なくないが、リアルで精細な合成メディアが当たり前になるのも時間の問題だろう。

そんな、視聴覚メディアを操作する能力が著しく高まった世界の功罪と可能性、それが本書に通底するテーマだった。ディープフェイクを中心として、関連技術の歴史や仕組み、この技術の社会問題とそれを受容する人間・社会を整理し、一般読者にとって読みやすく、かつ、オリジナリティがある本にしたい。そんな気持ちで執筆に臨んだ。しかし、その作業は私にとって簡単なものではなかった。

本書を書き始めた2020年頃は、ディープフェイクに使われる技術といえば、GAN（敵対的生成ネットワーク）とその派生AIモデルが中心だった。GAN関係の論文は確かにたくさん出版されていたが、一般読者には微に入り細を穿ち過ぎると思った。

また、初期のディープフェイクが引き起こした社会問題に関しては、テキサス大学オースティン校のサミュエル・ウーリーと作家のニーナ・シックが、すでに著書を出していた。どちらも名著だが、扱っている社会問題が古かったり、偏っていたりし、技術解説も弱いと感じた。本書の個性を考えあぐねていたところで生じたのが、ステーブル・ディフュージョンのオープンソース化と生成ＡＩの一大ブームだ。その流れを追いかけていく中で、本書のアイデアがようやく固まった。

なぜ動画がこれほどまでに影響力を持つのかを理解するために、ユーチューブ・プレミアムに入り、ティックトックもダウンロードして使ってみた。そして気づいたことは、とてつもなく面白く、とてつもなく中毒性が高いということだった。実際にアルゴリズムの「おすすめ」のままに動画を閲覧すると、すっかりやめるタイミングを逸し、睡眠不足まっしぐらだった。「ミイラ取りがミイラになる」ということわざの通り、動画の危うさを警告するつもりが、自分がそれにはまってしまった（だから執筆が遅れました、という言い訳は成り立たないが）。

現在知りうる情報を整理して、ディープフェイクの鳥瞰図を本書で示した。今後、ＧＡＮ

でもステーブル・ディフュージョンでもない、新しい生成ＡＩによるディープフェイクが登場することは必至だ。しかし、本書で示した本質的な内容は、古びることはないと考えている。手元に置いていただき、折に触れて読み返していただけると幸いだ。

本書を執筆するにあたり、多くの方々のお世話になった。

科学技術振興機構ＣＲＥＳＴの共同研究者である越前功教授、山岸順一教授、馬場口登教授、五十嵐祐准教授、橋本康弘上級准教授、博士研究員のディルルクシ・ガマゲ博士、ピユシュ・ガーシアや博士、リサーチアシスタントの春山マシュー君、その他のプロジェクトメンバーに感謝したい。

笹原研究室の技術支援員の小味顕子さん、松方睦子さん、大学院生の市川慧君、ＣＲＥＳＴリサーチアシスタントの陳佳玉さんには、本書の作図やチェックを手伝ってもらった。当研究室の学生たちには、議論を通じて本書に有益なフィードバックをもらった。みんなに感謝したい。

本書の担当編集者である西村健さんには、本書の企画をご提案いただき、度重なる締切の延長にもかかわらず、根気強く応援していただき、有益なコメントをたくさんいただいた。

どうもありがとうございました。

最後になるが、妻と二人の子供たち、郷里の父と母に感謝したい。いつも見守ってくれてありがとう。

２０２２年12月31日　帰省した福島の実家にて

笹原　和俊

index.html.
43. Chesney, R. & Citron, D. K. Deep Fakes: A Looming Challenge for Privacy, Democracy, and National Security. (2018) doi:10.2139/ssrn.3213954.
44. ニーナ シック著. 片山美佳子訳. ディープフェイク ニセ情報の拡散者たち.（日経ナショナル ジオグラフィック, 2021）.
45. Brown, M. A. et al. Echo Chambers, Rabbit Holes, and Algorithmic Bias: How YouTube Recommends Content to Real Users. *Available at SSRN* (2022) doi:10.2139/ssrn.4114905.
46. パッケージデザインAI. https://hp.package-ai.jp/.
47. Transformer, G. G. P., Thunström, A. O. & Steingrimsson, S. Can GPT-3 write an academic paper on itself, with minimal human input? *hal-03701250* (2022).
48. Info Interventions. https://interventions.withgoogle.com/.
49. 笹原 和俊, SUGANO Toshio Bruno, 奥田 慎平, 佐治 礼仁, 加藤 周. Polyphony: 多様なつながりを促進するSNS. 人工知能学会全国大会論文集 JSAI2020, 1L4GS505-1L4GS505 (2020).

参考文献は199ページから始まります。

29. Mathur, M. B. & Reichling, D. B. Navigating a social world with robot partners: A quantitative cartography of the Uncanny Valley. *Cognition* 146, 22–32 (2016).
30. Wang, S., Cheong, Y. F., Dilks, D. D. & Rochat, P. The Uncanny Valley Phenomenon and the Temporal Dynamics of Face Animacy Perception. *Perception* 49(10), 1069–1089 (2020).
31. How to detect deepfake faces. *Reuters* (2020).
32. Which Face Is Real? https://www.whichfaceisreal.com/.
33. Li, Y., Chang, M.-C. & Lyu, S. In Ictu Oculi: Exposing AI Created Fake Videos by Detecting Eye Blinking. in *2018 IEEE International Workshop on Information Forensics and Security* (WIFS) 1–7 (2018).
34. Hu, S., Li, Y. & Lyu, S. Exposing GAN-Generated Faces Using Inconsistent Corneal Specular Highlights. in *ICASSP 2021 - 2021 IEEE International Conference on Acoustics, Speech and Signal Processing (ICASSP)* 2500–2504 (ieeexplore.ieee.org, 2021).
35. Media Forensics (MediFor). *William Corvey* https://www.darpa.mil/program/media-forensics.
36. Deepfake Detection Challenge. https://www.kaggle.com/c/deepfake-detection-challenge.
37. Nguyen, H. H., Yamagishi, J. & Echizen, I. Capsule-forensics: Using Capsule Networks to Detect Forged Images and Videos. in *ICASSP 2019 - 2019 IEEE International Conference on Acoustics, Speech and Signal Processing (ICASSP)* 2307–2311 (ieeexplore.ieee.org, 2019).
38. Afchar, D., Nozick, V., Yamagishi, J. & Echizen, I. MesoNet: a Compact Facial Video Forgery Detection Network. in *2018 IEEE International Workshop on Information Forensics and Security (WIFS)* 1–7 (ieeexplore.ieee.org, 2018).
39. SYNTHETIQ VISION（フェイク顔映像を自動判定するプログラム）. http://research.nii.ac.jp/˜iechizen/synmediacenter/synthetiq/index.html.
40. Shiohara, K. & Yamasaki, T. Detecting Deepfakes With Self-Blended Images. in *2022 IEEE/CVF Conference on Computer Vision and Pattern Recognition (CVPR)* 18720–18729 (2022).
41. DeepFake-o-meter. https://zinc.cse.buffalo.edu/ubmdfl/deep-o-meter/.
42. CREST FakeMedia. http://research.nii.ac.jp/˜iechizen/crest/

Applied Intelligence (2022) doi:10.1007/s10489-022-03766-z.
15. 松任谷由実. Call me back/松任谷由実 with 荒井由実. https://youtu.be/oWo-TabDt8w (2022).
16. Caldwell, M., Andrews, J. T. A., Tanay, T. & Griffin, L. D. AI-enabled future crime. *Crime Science* 9, 1–13 (2020).
17. The Washington Post's guide to manipulated video. *The Washington Post.*
18. Posters, B. Deepfake of Mark Zuckerberg. https://www.instagram.com/p/ByaVigGFP2U/.
19. Allen, J. Misinformation Amplification Analysis and Tracking Dashboard. *Integrity Institute* https://integrityinstitute.org/our-ideas/hear-from-our-fellows/misinformation-amplification-tracking-dashboard (2022).
20. 笹原和俊. フェイクニュースを科学する: 拡散するデマ、陰謀論、プロパガンダのしくみ.(化学同人, 2021).
21. イーライ・パリサー著. 井口耕二訳. フィルターバブル: インターネットが隠していること.(早川書房, 2016).
22. Kingma, D. P. & Welling, M. Auto-Encoding Variational Bayes. *arXiv* [stat.ML] (2013).
23. Goodfellow, I. et al. Generative Adversarial Nets. in *Advances in Neural Information Processing Systems* (eds. Ghahramani, Z., Welling, M., Cortes, C., Lawrence, N. & Weinberger, K. Q.) vol. 27 (Curran Associates, Inc., 2014).
24. Minsuk Kahng, Nikhil Thorat, Duen Horng (Polo) Chau, Fernanda B. Viegas, Martin Wattenberg. GAN Lab: Play with Generative Adversarial Networks (GANs) in Your Browser! *GAN Lab* https://poloclub.github.io/ganlab/.
25. Hindupur, A. The GAN Zoo: A list of all named GANs!
26. Ho, J., Jain, A. & Abbeel, P. Denoising Diffusion Probabilistic Models. in *Advances in Neural Information Processing Systems* (eds. Larochelle, H., Ranzato, M., Hadsell, R., Balcan, M. F. & Lin, H.) vol. 33 6840–6851 (Curran Associates, Inc., 2020).
27. Groh, M., Epstein, Z., Firestone, C. & Picard, R. Deepfake detection by human crowds, machines, and machine-informed crowds. *Proc. Natl. Acad. Sci. U. S. A.* 119(1), (2022).
28. Moshel, M. L., Robinson, A. K., Carlson, T. A. & Grootswagers, T. Are you for real? Decoding realistic AI-generated faces from neural activity. *Vision Res.* 199, 108079 (2022).

参考文献

1. BuzzFeedVideo. You Won't Believe What Obama Says In This Video! https://youtu.be/cQ54GDm1eL0 (2018).
2. Deeptrace. The State of Deepfakes: Landscape, Threats, and Impact.(2019)
3. 川名 のん, 長沼 健, 吉野 雅之, 太田原 千秋, 冨樫 由美子, 笹 晋也, 山本 恭平. Deepfakeを用いたe-KYCに対するなりすまし攻撃と対策の検討. 人工知能学会全国大会論文集 JSAI2021, 1F2GS10a02-1F2GS10a02 (2021).
4 The Washington Post. Pelosi videos manipulated to make her appear drunk are being shared on social media. https://youtu.be/sDOo5nDJwgA (2019).
5. Simonite, T. A Zelensky Deepfake Was Quickly Defeated. The Next One Might Not Be. *Wired* https://www.wired.com/story/zelensky-deepfake-facebook-twitter-playbook/ (2022).
6. Beridze, I. & Butcher, J. When seeing is no longer believing. *Nature Machine Intelligence* 1, 332–334 (2019).
7. Sentinel. Deepfakes 2020: The Tipping Point The Current Threat Landscape, its Impact on the U.S 2020 Elections, and the Coming of AI-Generated Events at Scale. (2020).
8. Gamage, D., Ghasiya, P., Bonagiri, V., Whiting, M. E. & Sasahara, K. Are Deepfakes Concerning? Analyzing Conversations of Deepfakes on Reddit and Exploring Societal Implications. in *Proceedings of the 2022 CHI Conference on Human Factors in Computing Systems,* 1–19 (Association for Computing Machinery, 2022).
9. Altered Images. http://www.alteredimagesbdc.org/.
10. This Person Does Not Exist. https://thispersondoesnotexist.com/.
11. This Cat Does Not Exist. https://thiscatdoesnotexist.com/.
12. Kietzmann, J., Lee, L. W., McCarthy, I. P. & Kietzmann, T. C. Deepfakes: Trick or treat? *Bus. Horiz.* 63(2), 135–146 (2020).
13. Dagar, D. & Vishwakarma, D. K. A literature review and perspectives in deepfakes: generation, detection, and applications. *International Journal of Multimedia Information Retrieval*(11) (2022) doi:10.1007/s13735-022-00241-w.
14. Masood, M. et al. Deepfakes Generation and Detection: State-of-the-art, open challenges, countermeasures, and way forward.

PHP INTERFACE
https://www.php.co.jp/

笹原和俊［ささはら・かずとし］

東京工業大学環境・社会理工学院准教授。東京大学大学院総合文化研究科修了。博士(学術)。名古屋大学大学院情報学研究科講師等を経て現職。学外ではカリフォルニア大学ロサンゼルス校客員研究員、インディアナ大学客員研究員、JSTさきがけ研究者を務めた。専門は計算社会科学で、ビッグデータ分析、計算モデル、オンライン実験などの手法を用いて、社会現象の理解と社会課題の解決に取り組んでいる。主著に『フェイクニュースを科学する』(化学同人)がある。

ディープフェイクの衝撃

AI技術がもたらす破壊と創造

(PHP新書 1343)

二〇二三年三月一日　第一版第一刷

著者――笹原和俊
発行者――永田貴之
発行所――株式会社PHP研究所
東京本部――〒135-8137 江東区豊洲5-6-52
ビジネス・教養出版部 ☎03-3520-9615(編集)
普及部 ☎03-3520-9630(販売)
京都本部――〒601-8411 京都市南区西九条北ノ内町11
組版――アイムデザイン株式会社
装幀者――芦澤泰偉＋児崎雅淑
印刷所 製本所――図書印刷株式会社

ISBN978-4-569-85261-4

ＰＨＰ新書刊行にあたって

「繁栄を通じて平和と幸福を」（PEACE and HAPPINESS through PROSPERITY）の願いのもと、ＰＨＰ研究所が創設されて今年で五十周年を迎えます。その歩みは、日本人が先の戦争を乗り越え、並々ならぬ努力を続けて、今日の繁栄を築き上げてきた軌跡に重なります。

しかし、平和で豊かな生活を手にした現在、多くの日本人は、自分が何のために生きているのか、どのように生きていきたいのかを、見失いつつあるように思われます。そして、その間にも、日本国内や世界のみならず地球規模での大きな変化が日々生起し、解決すべき問題となって私たちのもとに押し寄せてきます。

このような時代に人生の確かな価値を見出し、生きる喜びに満ちあふれた社会を実現するために、いま何が求められているのでしょうか。それは、先達が培ってきた知恵を紡ぎ直すこと、その上で自分たち一人一人がおかれた現実と進むべき未来について丹念に考えていくこと以外にはありません。

その営みは、単なる知識に終わらない深い思索へ、そしてよく生きるための哲学への旅でもあります。弊所が創設五十周年を迎えましたのを機に、ＰＨＰ新書を創刊し、この新たな旅を読者と共に歩んでいきたいと思っています。多くの読者の共感と支援を心よりお願いいたします。

一九九六年十月

ＰＨＰ研究所

PHP新書

1201 未完の資本主義　ポール・クルーグマンほか［著］／大野和基［インタビュー・編］

1202 トイレは世界を救う　ジャック・シム［著］／近藤奈香［訳］

1219 本屋を守れ　藤原正彦

1223 教師崩壊　妹尾昌俊

1229 大分断　エマニュエル・トッド［著］／大野 舞［訳］

1232 未来を見る力　河合雅司

1233 男性の育休　小室淑恵／天野 妙

1234 AIの壁　養老孟司

1239 社会保障と財政の危機　鈴木 亘

1242 食料危機　井出留美

1247 日本の盲点　開沼 博

1249 働かないおじさんが御社をダメにする　白河桃子

1252 データ立国論　宮田裕章

1262 教師と学校の失敗学　妹尾昌俊

1263 同調圧力の正体　太田 肇

1264 子どもの発達格差　森口佑介

1271 自由の奪還　アンデシュ・ハンセンほか［著］／大野和基［インタビュー・編］

1277 転形期の世界　Voice編集部［編］

1280 東アジアが変える未来　Voice編集部［編］

1281 5000日後の世界　ケヴィン・ケリー［著］／大野和基［インタビュー・編］／服部桂［訳］

1286 人類が進化する未来　ジェニファー・ダウドナほか［著］／大野和基［インタビュー・編］

1290 近代の終わり　ブライアン・レヴィンほか［著］／大野和基［インタビュー・編］

1291 日本のふしぎな夫婦同姓　中井治郎

1298 子どもが心配　養老孟司

1303 ウイルス学者の責任　宮沢孝幸

1307 過剰可視化社会　與那覇潤

1315 男が心配　奥田祥子

1321 奇跡の社会科学　中野剛志

1326 ネイチャー資本主義　夫馬賢治

1328 「立方体が描けない子」の学力を伸ばす　宮口幸治

1331 何もしないほうが得な日本　太田 肇

1334 指導者（リーダー）の不条理　菊澤研宗

1336 虐待したことを否定する親たち　宮口智恵

［自然・生命］

1016 西日本大震災に備えよ　鎌田浩毅

1257 京大 おどろきのウイルス学講義　宮沢孝幸

1272 「性」の進化論講義　更科 功

［経済・経営］

187 働くひとのためのキャリア・デザイン　金井壽宏
379 なぜトヨタは人を育てるのがうまいのか　若松義人
450 トヨタの上司は現場で何を伝えているのか　若松義人
543 ハイエク 知識社会の自由主義　池田信夫
587 微分・積分を知らずに経営を語るな　内山 力
594 新しい資本主義　原 丈人
752 日本企業にいま大切なこと　野中郁次郎／遠藤 功
852 ドラッカーとオーケストラの組織論　山岸淳子
892 知の最先端　クレイトン・クリステンセンほか［著］／大野和基［インタビュー・編］
901 ホワイト企業　高橋俊介
932 なぜローカル経済から日本は甦るのか　冨山和彦
958 ケインズの逆襲、ハイエクの慧眼　松尾 匡
985 新しいグローバルビジネスの教科書　山田英二
998 超インフラ論　藤井 聡
1023 大変化――経済学が教える二〇二〇年の日本と世界　竹中平蔵
1027 戦後経済史は嘘ばかり　髙橋洋一
1029 ハーバードでいちばん人気の国・日本　佐藤智恵
1033 自由のジレンマを解く　松尾 匡
1080 クラッシャー上司　松崎一葉
1084 セブン-イレブン1号店　繁盛する商い　山本憲司
1088 「年金問題」は嘘ばかり　髙橋洋一
1114 クルマを捨ててこそ地方は甦る　藤井 聡
1136 残念な職場　河合 薫
1162 なんで、その価格で売れちゃうの？　永井孝尚
1166 人生に奇跡を起こす営業のやり方　田口佳史／田村 潤
1172 お金の流れで読む　日本と世界の未来　ジム・ロジャーズ［著］／大野和基［訳］
1174 「消費増税」は嘘ばかり　髙橋洋一
1175 平成の教訓　竹中平蔵
1187 なぜデフレを放置してはいけないか　岩田規久男
1193 労働者の味方をやめた世界の左派政党　吉松 崇
1198 中国金融の実力と日本の戦略　柴田 聡
1203 売ってはいけない　永井孝尚
1204 ミルトン・フリードマンの日本経済論　柿埜真吾
1220 交渉力　橋下 徹
1230 変質する世界　Voice編集部［編］
1235 決算書は3項目だけ読めばいい　大村大次郎
1258 脱GHQ史観の経済学　田中秀臣
1265 決断力　橋下 徹
1273 自由と成長の経済学　柿埜真吾
1282 データエコノミー入門　野口悠紀雄

1295 101のデータで読む日本の未来　宮本弘曉
1299 なぜ、我々はマネジメントの道を歩むのか［新版］　田坂広志
1329 51のデータが明かす日本経済の構造　宮本弘曉
1337 プーチンの失敗と民主主義国の強さ　原田　泰

［歴史］

061 なぜ国家は衰亡するのか　中西輝政
286 歴史学ってなんだ？　小田中直樹
755 日本人はなぜ日本のことを知らないのか　竹田恒泰
903 アジアを救った近代日本史講義　渡辺利夫
922 木材・石炭・シェールガス　石井　彰
1012 古代史の謎は「鉄」で解ける　長野正孝
1057 なぜ会津は希代の雄藩になったか　中村彰彦
1064 真田信之 父の知略に勝った決断力　平山　優
1085 新渡戸稲造はなぜ『武士道』を書いたのか　草原克豪
1086 日本にしかない「商いの心」の謎を解く　呉　善花
1096 名刀に挑む　松田次泰
1104 一九四五　占守島の真実　相原秀起
1108 コミンテルンの謀略と日本の敗戦　江崎道朗
1115 古代の技術を知れば、『日本書紀』の謎が解ける　長野正孝
1116 国際法で読み解く戦後史の真実　倉山　満
1118 歴史の勉強法　山本博文
1121 明治維新で変わらなかった日本の核心　猪瀬直樹／磯田道史
1123 天皇は本当にただの象徴に堕ちたのか　竹田恒泰
1129 物流は世界史をどう変えたのか　玉木俊明
1130 なぜ日本だけが中国の呪縛から逃れられたのか　石　平
1138 吉原はスゴイ　堀口茉純
1141 福沢諭吉　しなやかな日本精神　小浜逸郎
1142 卑弥呼以前の倭国五〇〇年　大平　裕
1152 日本占領と「敗戦革命」の危機　江崎道朗
1160 明治天皇の世界史　倉山　満
1167 吉田松陰『孫子評註』を読む　森田吉彦
1168 特攻　知られざる内幕　戸髙一成［編］
1176 「縄文」の新常識を知れば 日本の謎が解ける　関　裕二
1177 「親日派」朝鮮人　消された歴史　拳骨拓史
1178 歌舞伎はスゴイ　堀口茉純
1181 日本の民主主義はなぜ世界一長く続いているのか　竹田恒泰
1185 戦略で読み解く日本合戦史　海上知明
1192 中国をつくった12人の悪党たち　石　平
1194 太平洋戦争の新常識　歴史街道編集部［編］

1197 朝鮮戦争と日本・台湾「侵略」工作　江崎道朗
1199 関ヶ原合戦は「作り話」だったのか　渡邊大門
1206 ウェストファリア体制　倉山 満
1207 本当の武士道とは何か　菅野覚明
1209 満洲事変　宮田昌明
1210 日本の心をつくった12人　石 平
1213 岩崎小彌太　武田晴人
1217 縄文文明と中国文明　関 裕二
1218 戦国時代を読み解く新視点　歴史街道編集部［編］
1228 太平洋戦争の名将たち　歴史街道編集部［編］
1243 源氏将軍断絶　坂井孝一
1255 海洋の古代日本史　関 裕二
1266 特攻隊員と大刀洗飛行場　安部龍太郎
1267 日本陸海軍、失敗の研究　歴史街道編集部［編］
1269 緒方竹虎と日本のインテリジェンス　江崎道朗
1276 武田三代　平山 優
1279 第二次大戦、諜報戦秘史　岡部 伸
1283 日米開戦の真因と誤算　歴史街道編集部［編］
1296 満洲国と日中戦争の真実　歴史街道編集部［編］
1308 女系で読み解く天皇の古代史　関 裕二
1311 日本人として知っておきたい琉球・沖縄史　原口 泉
1312 服部卓四郎と昭和陸軍　岩井秀一郎
1316 世界史としての「大東亜戦争」　細谷雄一［編著］
1318 地政学と歴史で読み解くロシアの行動原理　亀山陽司
1319 日本とロシアの近現代史　歴史街道編集部［編］
1322 地政学で読み解く日本合戦史　海上知明
1323 徳川家康と9つの危機　河合 敦
1335 昭和史の核心　保阪正康

［宗教］

123 お葬式をどうするか　ひろさちや
955 どうせ死ぬのになぜ生きるのか　名越康文

［政治・外交］

893 語られざる中国の結末　宮家邦彦
898 なぜ中国から離れると日本はうまくいくのか　石 平
920 テレビが伝えない憲法の話　木村草太
931 中国の大問題　丹羽宇一郎
954 哀しき半島国家 韓国の結末　宮家邦彦
967 新・台湾の主張　李 登輝
979 なぜ中国は覇権の妄想をやめられないのか　石 平
988 従属国家論　佐伯啓思
1000 アメリカの戦争責任　竹田恒泰
1024 ヨーロッパから民主主義が消える　川口マーン惠美

1060 イギリス解体、EU崩落、ロシア台頭　岡部 伸
1076 日本人として知っておきたい「世界激変」の行方　中西輝政
1083 なぜローマ法王は世界を動かせるのか　徳安 茂
1122 強硬外交を反省する中国　宮本雄二
1124 チベット 自由への闘い　櫻井よしこ
1135 リベラルの毒に侵された日米の憂鬱　ケント・ギルバート
1137 「官僚とマスコミ」は嘘ばかり　髙橋洋一
1153 日本転覆テロの怖すぎる手口　兵頭二十八
1155 中国人民解放軍　茅原郁生
1157 二〇二五年、日中企業格差　近藤大介
1163 AI監視社会・中国の恐怖　宮崎正弘
1169 韓国壊乱　櫻井よしこ／洪 熒
1180 プーチン幻想　グレンコ・アンドリー
1188 シミュレーション日本降伏　北村 淳
1189 ウイグル人に何が起きているのか　福島香織
1196 イギリスの失敗　岡部 伸
1208 アメリカ 情報・文化支配の終焉　石澤靖治
1212 メディアが絶対に知らない2020年の米国と日本　渡瀬裕哉
1225 ルポ・外国人ぎらい　宮下洋一
1226 「NHKと新聞」は嘘ばかり　髙橋洋一
1231 米中時代の終焉　日高義樹
1236 韓国問題の新常識　Voice編集部［編］
1237 日本の新時代ビジョン　鹿島平和研究所・PHP総研［編］
1241 ウッドロー・ウィルソン　倉山 満
1248 劣化する民主主義　宮家邦彦
1250 賢慮（けんりょ）の世界史　佐藤 優／岡部 伸
1254 メルケル 仮面の裏側　川口マーン惠美
1260 中国 vs. 世界　安田峰俊
1261 NATOの教訓　グレンコ・アンドリー
1274 日本を前に進める　河野太郎
1287 トランプ vs バイデン　村田晃嗣
1292 タリバンの眼（め）　佐藤和孝
1297 誤解しないための日韓関係講義　木村 幹
1300 お金で読み解く世界のニュース　大村大次郎
1304 儲かる！米国政治学　渡瀬裕哉
1306 ウクライナ戦争における中国の対ロ戦略　遠藤 誉
1309 「動物の権利」運動の正体　佐々木正明
1325 台湾に何が起きているのか　福島香織
1327 政治と暴力　福田 充